書評の新聞「週刊読書人」連載
大学生が作る書評コラム

書評キャンパス
2019

大学生と「週刊読書人」編集部

書評キャンパス at 読書人 2019　CONTENTS

第1部　書評キャンパス再掲

読
書評
キャンパス

書評キャンパス *at* 読書人 2019　CONTENTS

書評キャンパス

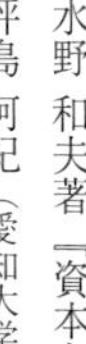

※所属大学と学年は、「週刊読書人」掲載時のものです。

「書評キャンパス」書籍化　三年目を迎えて

湖面に水滴が落ちて波紋を広げていき、一つ、また一つと波紋が広がっていきます。

週刊読書人の始めた「書評キャンパス」はこの水滴のようなものではないでしょうか。

波紋の行き着く先はどこなのでしょう。筆者と同じ世代の読者たちは、見知らぬ学生の書いた書評をみて、自らの感性とは違う紹介が刺激となり、本を手にしたかもしれません。また著者は自分の意図とは違った形で読みとられた事に驚くかもしれませんし、その本を編集した人は狙い通りだと小さく拳を握ったかもしれません。大学で教鞭をとる人は思いがけない学生の読書傾向を知って、新たな教育方針を見出したかもしれないし、図書館で蔵書を選ぶ司書にとっては見過ごしてはならない若い人の声でもあるはずです。

波紋は様々な形で広がっています。

「書評キャンパス」の作る波紋は決して大きいものではありませんが、毎週欠かすことなく続いて三年が経過しました。

一粒の麦といっても良いかもしれません。撒かれた種は小さくて頼りないかもしれませんが、確実に芽を出して、風に吹かれています。

六二年の歴史を積み重ねてきた読書人が、二〇一七年にスタートさせた「書評キャンパス」は連載四年目を迎えています。その成果物として、前年に掲載した全ての学生書評を単行本にまとめるのも、これで三冊目です。ＳＮＳをはじめとしたメディアの変化から、若い人の読書離れが進んでいると声高に言い募る人も少なくありませんが、こうして載せ切れないほどの多くの原稿が寄せられてくるのを見ると、本を読む若者はちゃんと存在するということを知り、勇気づけられてもいます。

石の上にも三年、という諺があります。

この「書評キャンパス」も少しは知られてきましたが、もう一歩、新しい道を探る時を迎えているのかもしれないと、読書人では大学生を対象にした新たな取り組みを展開したいと考えています。ご期待ください。

「週刊読書人」編集部

二〇二〇年十月十日

第1部

書評キャンパス

「週刊読書人」
2019年4月－2020年3月
に掲載された記事を再掲

書評した本 | 書評した人

『凍りのくじら』

辻村 深月著

文庫判・576頁・800円
講談社
978-4-06-276200-7

谷口 日菜子
たにぐち ひなこ

都留文科大学
文学部国文学科

現在関心を持っていることは、近現代の文学作品における女性の描かれ方について。また、日本の服飾・化粧の歴史について。

白く凍った海の中に沈んでいくくじらを見たことがあるだろうか。

辻村深月の『凍りのくじら』は、このような一節から始まる。氷の中で段々と力を失い、深い海に沈んでいくくじらの姿が鮮明に浮かんでくる。

辻村深月は二〇〇四年にデビューし、『鍵のない夢を見る』で直木三十五賞を受賞、さらに二〇一八年には『かがみの孤城』で本屋大賞を受賞している。今日本で最も勢いのある作家の一人と言っても過言ではないだろう。『凍りのくじら』は、辻村のデビュー作である『冷たい校舎の時は止まる』に続いて発表された、二作目の小説である。

本書の主人公は、進学校に通う女子高生・芦沢理帆子。読書家でありどこか冷めている彼女は、自身の頭の良さを自覚しつつ、周囲の人間を見下している。『ドラえもん』の作者である藤子・F・不二雄を敬愛する彼女は、藤子の『「SF」とは、「すこし・ふしぎ」な物語である』という言葉にならい、自分の周りの人間を「スコシ・ナントカ」で表す癖がある。例えば、合コンでいい男を探し求める友人のカオリは、「Sukoshi・Finding（少し・ファインディング）」であり、夫が失踪し、病魔に体を蝕まれている母の汐子は「Sukoshi・Fukou（少し・不幸）」

であるといったように。そして、理帆子は自分自身については「Sukoshi・Fuzai（少し・不在）」と表現する。どこにいても誰といても、そこが自分の本当の居場所だと思えない。日常に息苦しさを感じながら生きる彼女は、夏のある日、「写真のモデルになってほしい」と頼む一人の青年と出会う――。

辻村深月の作品には、中学生～高校生を主人公とした、青春の苦さや日常の閉塞感を描いたものが幾つかある。なかでも『凍りのくじら』は、大人びていて達観しているように見えて、実は幼く傷つきやすい少女でもある理帆子の姿を、繊細な文章で描いた作品である。

「どこにいても誰といても、そこが自分の居場所とは思えない」という感覚を味わったことのある人は、実は少なくないのではないだろうか。特に多感な思春期においては、そういった感情を抱くことが多いように思う。青春の真っただ中で、母や友人など周囲の人々に愛され、それでもなお孤独を感じてしまう理帆子は、凍った海の中でもがくくじらのように痛々しく、見ている者の心を揺さぶる。そして本書を読み進めるうちに、いつの間にか読者は理帆子と同じように苦しみ、悩み、そして救われたいと願うのである。

辻村深月の作品は、どんなに残酷で不幸な出来事が登場人物に降りかかっても、それでも最後には、ほのかな光や希望を感じさせるものが多い。『凍りのくじら』の結末についてここでは言及しないが、青春の痛みや苦しみを容赦なく描いた本書すら、読了後にはじんわりと心が温かくなる。そして、散りばめられた伏線が回収される時、私たちは隠されていた事実に胸を打たれるのである。

『凍りのくじら』には、作家・辻村深月のルーツが詰まっている。『ドラえもん』ならびに藤子・F・不二雄への情熱と敬愛、青春の痛み、ミステリー要素と鮮やかに回収される伏線。まだ辻村の作品を読んだことのない人にも、また、直木賞や本屋大賞などを受賞した作品しか読んだことのないという人にもぜひ、本書をお勧めしたいと思う。

編集者より

「どこにいても誰といても、そこが自分の居場所とは思えない」という感覚とは、いくつになっても付き合っていくものだと思います。谷口さんの書評を拝読していて、改めて「理帆子は、今生きづらい私の戦友になってくれるかもしれない」、そんな期待に胸が膨らみました。初めてこの作品に出会った時の私（ともしかしたら谷口さん）のように、この書評を機に『凍りのくじら』に触れて、少しでも救われる人が増えることを祈ります。

（講談社　担当編集者）

書評した本　　　　書評した人

『自由からの逃走』

エーリッヒ・フロム著

四六判・338頁・1700円
東京創元社
978-4-488-00651-8

高橋 克臣
たかはし かつおみ

早稲田大学教育学部教育学科
生涯教育学専修３年

３年前まで銀行員でした。大学で男子チアリーディングをするために受験を決心しましたが、受験勉強の中で勉強の面白さに気付き、入学後はチアをせずに専ら学問を楽しんでいます。

自由とは何か。歴史的には、中世の封建制における土地や職業の束縛、近代の絶対王政などから解放されるため、近代以降特に人類が絶えず追い求めてきたものであり、現代においてもそれは絶対的な価値を持つものとして考えられる傾向にある。

しかし本書は、近代人にとって自由が二重の意味を持っているということを主張する。一つは、近代において個人が旧来の束縛から解放され、独立を求めるという過程に代表されるような「……への自由」という積極的な意味の自由であり、私たちが認識する「自由」の概念はこれに近いだろう。しかしもう一つの意味はこれに反する。近代以降個人は自由を獲得するが、実は旧来の束縛の下にある人生は安定感と方向づけが保障されたものであり、その紐帯が失われることによって孤独と無力がつきまとうようになった。そこから逃れるために大衆は新しい束縛へ逃避し、それに服従するようになった。これを「……からの自由」と筆者は述べており、本書が主題として掲げ、絶対的価値を持つと思われがちな「自由」にはこのような危険性が伴うということを主張している。

更に筆者は、彼が生きていた時代の、ナチスに迎合するドイツ人をその実例として挙げる。当時のドイツ人は、彼らの安定感と方向づけを保障していた君主政治の崩壊や経済状況の悪化によって、半ば絶望的な自由放任状態にあった。そのような中で彼らは新しい服従先としてナチスを求め、更にユダヤ人などを標的化することで自信を補填していた。筆者は、前者をマゾヒズム的衝動、後者をサディズム的衝動と述べ、批判している。

さて、本書の発刊は1941年であり、時間も空間も異なる現代日本に対する、直接的な政治的・社会的なイデオロギー性はないと言える。しかし昨今の日本における社会問題は本書の指摘に重なる点が非常に多く、その両側面からして現代の日本人が自らの思想を問わず読む価値を持つ本であると評者は考える。

例えば先ほどのナチズムと比較して、戦後日本は自由主義経済を推進し、富の配分の自由化を拡大した。しかし長年に亘る不況により、セーフティネットが縮小していく中で雇用環境は不安定になり、格差社会が加速化し、日本人は自由主義の中で疲弊していく。そのような社会の中で自信を保つため、ナチズムにおけるサディズム的衝動たるユダヤ人や同性愛者、ロマ人たちに対する差別のように、現代の日本では在日外国人、生活保護受給者、性的少数者などの社会的マイノリティに対する差別や、嫌韓・嫌中の風潮が見受けられる。

まさに、現代は本書が著された時代と同じように、自由に耐えられなくなった人々が政府という巨大な組織にマゾヒズム的に従属し、サディズム的に他を排するという問題性を抱えている時代であり、この点において本書の内容は時間と空間を超えた普遍性を持っている。

何か問題に直面したとき、人は過去の経験からその答えを導き出そうとするだろう。ではそれが国家規模や人類規模となったとき、何に答えを求めるか。それは歴史である。近代以降展開され続けた自由との闘争の歴史と改めて向き合い、現代の問題を考えていく。これはそれを手助けしてくれる本だと思う。（日高六郎訳）

編集者より

本書刊行時、担当編集者は約70年後に学生の方からこのような的確な書評を書いてもらえると予想していただろうかと思いながら、高橋さんの文章を拝読しました。高橋さんのご指摘のとおり、本書のテーマは人間にとって普遍性のあるものです。これまでもこれからも、長く読み継がれる作品なのだろう――「1951年12月30日初版」「2020年7月8日127刷」という本書の奥付を見て、そのことを痛感した次第です。

（東京創元社　桑野崇）

書評した本

『カラフル』

森 絵都著

文庫判・272頁・620円
文藝春秋
978-4-16-774101-3

書評した人

上田 唯歩生
うえた いぶき

京都産業大学4回生

大学ではアメリカ文学のゼミで、書評や論文を作成し、登場人物の心情を読み解いたり、物語の中で使用される技法を学んでいます。

人間は死んだらどうなるのか。死後の世界に興味を抱くのは、人としてごく自然なことである。当然の事ながら、この世の生き物全てに、始まりがあり、終わりがある。この物語では、生前の罪により、「輪廻のサイクル」から外された「ぼく」が主人公である。輪廻とは人が繰り返し転生し、動物なども含めた生類に生まれ変わることである。「ぼく」は、死後の世界で天使業界の抽選にあたり、転生再挑戦のチャンスを得たのだ。

「ぼく」には自分の前世や過去の記憶はない。前世で罪を犯した「ぼく」は、自殺を図った中学生である小林真の体に入り込み、この世での「ホームステイ」を開始する。その目的は、下界で一定期間、誰かの体を借りて過ごし、前世で犯した過ちを思い出すことなのだ。人生に絶望し、自ら命を絶った真は、孤独感と劣等感を常に感じている少年であった。「ぼく」は所詮、真という他人の体に入っているだけであり、これは自分の人生のリセットではないと割り切り、冷めた目で真の人生を見つめて毎日を過ごしていく。それでも真として人生を歩むうちに、本当の真が、実は感受性が豊かで繊細な少年だったことを知る。そして真の心情とシンクロしていくうちに、「ぼく」自身の根底に眠っていたものを少しずつ取戻し始める。家族と本心から向き合うことで、そこに大きな誤解があったことを知り、家族の本当の姿と真に対する愛情に気づいていく。そしてこの体を小林真に返してあげたいという思いに駆られ始める。

単に抽選に当たった事により、真の人生を他人事として生きていた「ぼく」が、その人生や過去について深く考えはじめるきっかけとなったのが絵である。幼い頃から絵が好きだった彼にとって所属する美術部で真っ白なキャンパスと向き合う時間こそが、心安らぐひと時であった。そこは思い悩む日々から解放され、自由に色鮮やかに自分を表現出来る唯一の場所だったのだ。一方、「ぼく」も真として絵を描くことで自然と心が落ち着き、楽しさを覚えるようになる。真は感情を出せない代わりに、絵を描くことで、自分の色を描き出していたのだろう。そして「ぼく」も「ホームステイ」の目的であった前世の記憶を取戻し、狭い視野と思い込みによって、過ちを選択してしまったことを深く後悔した。罪の内容は敢えて綴らないでおく。真とは「ぼく」にとってどんな存在だったのだろうか。真と「ぼく」の関係性は物語の終盤で描かれることになる。

人はたくさんの色を内面に秘めている。自分の中に知らない自分がいるかもしれない。そしてまた他人のほんの一面しか見ずに、利己的な先入観で相手の人格を決めつけてしまうこともある。そして自分でも気づかぬ間に誰かを傷つける。私たちは他人を、そして自分自身を他の角度から見ることで、これまでと違う思いもよらぬ色が発見できるのではないか。くすんだ暗い自分の世界も明るくカラフルな「色」に変えることができる。主人公の「ぼく」がそれに気づくことができたとき、本当の自分を手に入れることができたのだ。この一冊の本は物語を通じ、人生にとって大切なことを教えてくれる。

編集者より

100万部を超えて愛される傑作青春小説『カラフル』は、そのタイトルのように、それぞれの読者の方に彩り豊かに読まれています。その色は、何万通りもあることでしょう。この作品を手に取ってくださったことで、読者の皆様の人生が、さらに「カラフル」なものになっていくことが実感できる書評でした。この作品で描かれた、ひとの内面に秘められた「たくさんの色」を、瑞々しく読み解いてくださって、ありがとうございます。

（文藝春秋 文春文庫部 山下奈緒子）

書評した本

『鬼火・底のぬけた柄杓』

吉屋 信子著

文庫判・264頁・1300円
講談社
978-4-06-198326-7

書評した人

山口 玲華
やまぐち れいか

大東文化大学
文学部日本文学科3年生

最近関心を持っているのはLGBTと文学の関わりの問題。趣味として続けているのは、写真を撮ることと、刺繍です。

とても後味の悪い小説集である。そんな読後感を抱きながら再読すると、その後味の悪さにこそ魅力の秘密があるような気がした。そんな作品は初めて読んだ。

吉屋信子といえば少女小説である『花物語』の作者として有名であるが、この短編では少女の世界とはかけ離れた大人、ドッペルゲンガーや俳人が登場し、全体的に不気味なねっとり感がある。少女小説家として見ていた私は、この作家の別の一面を垣間見たような気分になった。吉屋信子は俳句に興味がないと思っていたし、少女たちのロマンティックな情愛だけを生涯、ずっと描いていたと思い込んでいたのだ。だからこそ、この本は痛快なほど私を裏切り、そして吉屋信子という作家の奥深さを少し知ることとなった。

この短編集は二部構成となっており、一部には、「童貞女昇天」「鶴」「鬼火」「茶碗」「嫗の幻想」「もう一人の私」「宴会」の七作を収録している。二部では、「墨堤に消ゆ」「底のぬけた柄杓」「岡崎えん女の一生」の三作が収録されている。

どれも心に残る作品ばかりだったが、一番惹きつけられたのは「鬼火」という作品である。鬼火と聞いてどのようなものを想像するだろうか。この題名を一目見たときに私は怪談話だと考えたが、見事にその予想は外れた。

ガスの集金を仕事にする忠七という男が物語の主人公だ。忠七は、今の仕事が気に入っている上、生きがいと誇りを持っている。「彼は内心このガスの集金人という役目が得意なのだ、正々堂々とるべきものを取るんだ、誰にも馬鹿にされる商売じゃない」と忠七は語るが、この正々堂々とした態度が後々、物語に思わぬ展開をもたらす。

彼は最終的に熱心だった集金の仕事を放棄し、そのまま行方をくらましてしまうのだが、その原因となる出来事に、読みながら背筋が凍る思いだった。ここからは結末がわかってしまうので詳しくは言えないのだが、自身の行動が一人の人間に悲劇的な運命を招いてしまう。いつも後悔の念がつきまとい、そこから逃げられない。起こった出来事は、ずっと忠七の心にまとわりつく。

この短編集には幻想的な味わいを持った作品も多く収録されているが、こうした作風は吉屋信子が女学生時代に愛読していたと伝えられている泉鏡花の影響からくるものらしい。吉屋信子の文体は暗く粘り気のある感触だが、いっぽうで艶やかで読みやすくもある。吉屋信子が少女たちのロマンティックな交情を描く才能とは別の魅力を持ち合わせていたということが、よく分かった。

今まで読んできたさまざまな作家の小説と比べても、この短編集の異色ぶりは別格であり、後味の悪さにも拘らず何度も読み直してしまった。吉屋信子にしか書けない人間の暗部に踏み込んでいるからこそ、私はこの作品集に惹きつけられたのだと思う。

週刊読書人 2019年5月10日号掲載

書評した本

『アリスマ王の愛した魔物』

小川 一水著

文庫判・352頁・700円
早川書房
978-4-15-031309-8

書評した人

富樫 知之
とがし ともゆき

帝京大学法学部
法律学科4年

いま関心があることは、デジタルタトゥーと忘れられる権利について調べること。好きなVirtualYouTuberの配信を見ること。

「便利な時代になった」

これは私の母の口癖だ。現代社会は、技術の発達により、人々がより豊かに暮らせるような工夫が様々な場所で施されてきた。特に目に見えて発達したのが人工知能（AI）技術だろう。スマートフォン、自動車、家電製品、エレベーター、ゲームといった様々な物に人工知能は組み込まれている。あることが当たり前。いつからか私たちの生活に人工知能は欠かせないものとなっている。

しかし、本書の表題作「アリスマ王の愛した魔物」は、そんな便利な人工知能の恐ろしさを間接的に著している。ある小さな国の六番目に生まれた、数字が大好きな王子アリスマは、少し変わった従者と共に様々な活躍をし、国を拡げていく、というのが本作のあらすじである。そして王子の活躍を大きく支えたのが、効率化を目的とした計算の殿堂「算廠」である。算廠は入力された数字（情報）をもとに様々な計算を行う擬似的な人工知能として描かれている。しかし、この算廠には決定的な問題がある。それは、算廠の動力源が人工知能のような機械ではなく人間であるという点だ。算廠の中では、人間が入力された数字を基に計算し解を出す。そして、解が出る頃には多くの人間が力尽き死んでしまう。

私はこの欠陥として描かれている部分こそが、人工知能を上手く著している点だと感じている。

人工知能は便利なものだが、人工知能を利用することで人間は考える力を失っているのではないだろうか。人間は何か問題が起こった際、その問題をどう解決するかを考える。だが、人工知能を使えば問題を解決するために必要な過程を考えることなく解を導き出せてしまう。本作の算廠が利用することにより、人間を浪費していったように、我々も人工知能を利用することにより考える力を失ってしまっているのではないだろうか。哲学者マルクス・トゥッリウス・キケロの言葉に「生きることとは、考えることだ(To live is to think.)」という言葉があるように、考え悩むことこそ人間の生きる本質ではないだろうか。我々は今、人工知能によりその本質を失おうとしている。

人工知能が与える効率化の裏で、我々は何か大事なものを代価として奪われているのではないだろうか。アリスマ王が算廠という名の魔物を愛したように我々は人工知能という魔物を愛してしまっているのではないだろうか。今一度人工知能との関わり方を考えなくてはいけないと私は考える。

本書では今回紹介した短編以外にも他四つの短編が収録されている。自動運転車に乗せられたロボットを通してＡＩの権利について考察した短編、自我を持ったバイクの生涯を描いた短編など、独特な視点で描かれた短編が収録されており、ユーモアに富んだ短編集となっている。本書で我々を取り巻くＡＩ技術の可能性と起こりうる問題について改めて考えると同時に、ＳＦというジャンルを是非楽しんでもらいたい。

書評した本　　書評した人

『忘れられた巨人』

カズオ・イシグロ著

文庫判・496頁・980円
早川書房
978-4-15-120091-5

林 祐輔
はやし ゆうすけ

京都産業大学
文化学部4年

関心を持っていることは、具体的な英語の修得。古典から現代まで、文章に魅力のある物書きのうちのほとんどが高度に外国語を操っていたため。

カズオ・イシグロは作品ごとに時代や登場人物、場の倫理観までがらりと変えてしまう稀有な作家である。一方で彼には多くの作家の例に漏れず、作品に共通したテーマが存在する。それは記憶である。

六世紀ごろのイングランドを舞台に、長年連れ添った老夫婦であるアクセルとベアトリスが、遠く離れた村に住む息子に会うために冒険に出る。ファンタジー色が強く、鬼や竜、騎士が登場し、行く手を阻む。彼らは愛しあっているのだけれど、どのように出会ったのか、息子はどんな人物であるのか、どんな苦難を乗り越えてきたのか、ほとんど記憶がない。それは彼らが老いているから、というわけではなく、そのあたり一帯の人々は毎日を――時にはついさっき起こった事件を――忘れながら生きているのだ。そのため、日常的な会話にもずれが生じる。アクセルにとって印象的だった出来事をベアトリスはすっかり忘れてしまっているし、逆も然り、そんなことが作中、幾度となく繰り返される。頭の中に霧がかかり、うまく思い出すことが出来ない。そしてベアトリス（妻の方だ）は、そのことについて苛立っている。なぜ私たちはこんなにも多くのことを忘れてしまうのか。なぜ忘れなければならないのか。それが強大で狡猾な竜の仕業だということが神父ジョナスにより明らかになると、彼女は「竜を殺してくれれば、私たちの記憶が戻るんですって」といつもの穏やかさを忘れ、息巻く。そんな彼女をジョナスはたしなめる。忘れたままの方がいい記憶も確かに存在する、と。

どんな出来事にも、良い側面と悪い側面がある。何もかもが好転することなど、そうあるものではない。戦後間もないブリトン人とサクソン人は竜の吐く息によって記憶を失い、親や子を殺されたことも、大切な故郷を焼き尽くされたことも忘れ、かつての敵と共に穏やかに暮らしている。竜が死に、霧が晴れた時、彼らはすべてを思い出し、たちまち凄惨な争いが始まるであろうことは想像に難くない。記憶を取り戻した彼らの憎しみは、己への嫌悪感はどれほどのものだろう。記憶という巨人は、人々の生きがいになり愛で続けられる存在でありながら、鬼よりも竜よりも恐ろしいものでもあるのだ。

『忘れられた巨人』は記憶を失ってしまった彼らが、記憶という大いなる存在を相手に奮闘するさまを描いた作品である。それによって記憶というものの重要性を、またその恐ろしさを著者は示した。私たちは記憶なしに明日を喜べないし、昨日を悔めない。老夫婦は記憶を取り戻すことが出来たのか、息子と再会することが出来たのか。実に読みやすい文章で書かれている。是非、イシグロと共に、巨人に挑んでみてほしい。(土屋政雄訳)

編集者より

つらい目に遭ったときに、犬に噛まれたと思って忘れよう、と慰められることがあります。でもちょっとした痛手ならともかく、心に嵐が吹き荒れるような重大な事柄を忘れてもいいのか？　いやむしろ、忘れられるなら忘れたほうがいいのか？林さんがお書きのとおり、常に「記憶」というものに関心を抱いてきたイシグロは、本作で新たな重い問いを投げかけています。

（早川書房 編集部・著作権管理課
永野 渓子）

書評した本　　書評した人

『消滅世界』

村田 沙耶香著

文庫判・288頁・630円
河出書房新社
978-4-309-41621-2

藤井 太雅
ふじい たいが

明治大学文学部文学科
文芸メディア専攻3年

文学部に所属。小説や映画が好きで、用事のない日は家にこもって読書や映画鑑賞をしている。一人暮らしなので、好きなだけ本を読んだり映画を見たりできるのが嬉しい。

「世の中いろんなことが便利になっていくのに、何で結婚は便利にならないんだろうね」

私の言葉に、母はしかめ面で「変なこと言わないでよ」と返した。私は「便利になっても良いものといけないものがあるのだ」と反省し、それ以上は言わなかったが、不倫や離婚のニュースを耳にする度に「結婚という制度の見直しはやはり必要なのではないか」と思うのだった。

『消滅世界』では、そんな言ってはいけないのかもしれない私の本音や、なかなか上手く言語化できないでいた思いが言葉にされ、物語になっていた。世界に私と似たような感覚を抱えた仲間がいるのを発見したような気がして、私は嬉しかった。

この物語では、「恋愛」「セックス」「結婚」「子作り」に関する常識が現在とは全く異なる世界を描いている。恋愛は二次元の「キャラ」とすること、恋人とはセックスをしないこと、結婚相手は恋愛対象として見ないこと、そして人工授精で子供を作ることが「常識」とされている。

主人公である雨音の母親は、「前時代的」な人間であり、この物語では「近親相姦」としてタブー視されている「夫とのセックス」によって雨音を産んだ。母親は、自分の考え方が正しく、異常なのは世界の方であるとして、雨音に前時代的な常識を押し付ける。雨音はそのような母親の呪縛から逃れたいという一心で、上手く世界に適応しながら大人になっていく。しかし、夫とともに実験都市・楽園に移り住むと、雨音の中にあった「常識」が変化していく。楽園では「家族」も「恋愛」も「セックス」も存在しない。移り住む以前には当たり前だったものがなくなっていく。雨音はそのことに戸惑いながらも、やはりその世界においても上手く適応できてしまう。母親のようにはならない、と世界に適応してきた雨音は、今度は「どの世界においても適応できてしまう自分」に恐怖する。そして、「母に植えつけられたわけでも、世界に合わせて発生させたわけでもない、自分の本当の本能」を求め、ある方法で、雨音はそれを獲得する。

読者は「昔の価値観を押し付けてくる母親」と「世界に合わせて本能を変化させてしまう自分」の両者と戦い、「自分の本当の本能」を求めた雨音の人生を擬似体験することで、それまで信じて疑わなかった「常識」を疑い始める。今まで私たちが受け継いできた「常識」は、本当に「私たちの本能」で、それは現在の私たちにぴったりと当てはまり、私たちは快適なのだろうか。

例えば、「恋愛をしない若者が増えた」という話題はかなり前から持ち上がっている。恋愛が人生において優先度の高いものではなくなってきた、という感覚が私の中にもたしかにある。「若いんだからもっと恋愛をしろ」と言う大人もいるが、私たちはその感覚に抗うことができない。「私の本当の本能」が大人の言う「常識」と符合していないのだ。

母が私に見せたしかめ面は、私と母の感覚の違いを顕著に表していた。結婚を合理的なものにしようとすることに抵抗のない私と、ものすごくそれに抵抗のある母。それは、この物語での雨音と母親の関係にそっくりだ。時代が変わり、環境が変わり、私たちの感覚も変化してきた。もしかしたら私たちはみな『消滅世界』の住民で、現代はリアルな『消滅世界』なのかもしれない。

編集者より

『消滅世界』の刊行時、「この小説はユートピア小説として書いた」という村田さんの言葉が印象的でした。寄せられた反響から、男性はディストピア、女性はユートピアとして、この世界を受け止める傾向があったようです。藤井さんの書評は、この長編に張り巡らされた水脈を、まるで自身の体の血管のように、恐るべき実感と的確さで辿っています。「便利」「快適」といった言葉を選ぶ藤井さんの感覚に、「現実はもっと先を行っているかもしれない」という村田さんの言葉をふと思い出しました。

（河出書房新社 編集部 高木れい子）

書評した本　書評した人

『忘れられた巨人』

カズオ・イシグロ著

文庫判・496頁・980円
早川書房
978-4-15-120091-5

木野 雅
きの まさし

近畿大学文芸学部
文学科日本文学専攻
創作・評論コース4年

近畿大学の中央図書館でバイトしてます。最近YouTubeでゲーム実況の生配信を見るのにハマってます。

本書『忘れられた巨人』は、二〇一七年にノーベル文学賞を受賞したカズオ・イシグロ氏による長編小説である。日本版の小説はイシグロ氏がノーベル文学賞を受賞した直後に、文庫として改めて発売されたこともあり、書店で平積みされて大々的に宣伝されていたのを見た方も多いだろう。本作の舞台はおよそ六、七世紀ごろのブリテン島。島には人の他に妖精や鬼や魔物、竜までもが生息し、どこか陰鬱な雰囲気が流れるダークファンタジーの作品となっている。ファンタジーと聞くと、なんだ、絵空事かと拒否感を覚える人もいるかもしれない。しかし、イシグロ氏の文章は、妖精や竜が人と同じように、当たり前に存在していると思わせてくれる不思議な力を持っている。騙されたと思って読んでみて欲しい。すぐに魅力溢れる作品の世界にあなたは吸い込まれていくだろう。

物語はある村からブリトン人のアクセルとベアトリスという夫婦が旅に出るところからスタートする。作品内のブリテン島では不思議な「物忘れの病」が流行している。はるか昔の記憶はもちろん、つい先程あった出来事についての記憶すらすぐに忘れてしまうという病だ。アクセルとベアトリスは記憶を取り戻すため、そして自分たちにいたはずの息子に会うために旅に出る決意をするのだが、多くのファンタジー作品の例に漏れず、この作品でも竜という存在が鍵となってくる。この「物忘れの病」は、どうやら島を覆う「奇妙な霧」のせいであり、その霧は、山に棲む雌竜の吐息なのではないかと噂されているのである。

さらには、イギリスに伝わる、アーサー王の伝説も登場する。アーサー王といえば、ブリテン島の先住民族であるブリトン人を率い、ヨーロッパ大陸から侵攻してきたサクソン人に対抗した人物だが、作中のブリテンは彼が死去した後の世界であり、ブリトン人とサクソン人が、一見平和に暮らしている。

そしてアクセルとベアトリスは旅路で、サクソン人の勇敢な戦士や、胸に傷を持つ少年、アーサー王の甥である騎士ガウェインなど、様々な使命を胸に秘めた登場人物たちに出会う。本当に信頼できる人は誰なのか。自分の記憶すら信じられなくなってしまっている中、老夫婦は苦悩しながらも旅を続けていくこととなる。二人は果たして息子と再会することはできるのだろうか。そしてアーサー王というブリテンの象徴を失った今、「物忘れの病」の元凶であるとはいえ、この国を象徴するもう一つの存在、竜を退治するとはどういうことを意味するのか。

本書の随所でキーワードとなるのは「信じる」ということ。それがどんなに脆い不確かなものなのか。イシグロ氏の描く物語を辿っているうちに、読み手である私たちも何を信じて良いのか揺さぶられ、まるで、アクセルとベアトリスと一緒になって深い霧の中を歩いている気分にさせられてしまう。しかし終始不安にさせられつつも、逃げられないほどの作品の魅力に、私たちは次のページを捲るしかない。そんな重厚な魅力が詰まったカズオ・イシグロ氏によるダークファンタジーの世界をぜひ本書を手にとって堪能して欲しいと思う。（土屋政雄訳）

編集者より

本書が刊行されたとき、「イシグロがファンタジー？」と驚いた読者の方も多かったようです。しかし、竜やアーサー王といった、日本人にもなじみがある要素は、本書では実にイシグロらしい、不穏で曖昧で多義的な世界を作り出すのに寄与しており、その陰を帯びた描写には驚かされ、胸をつかれます。まさに木野さんの表現のとおり、「不安にさせられつつも、逃げられない」。作家が力量を存分に発揮した作品です。

（早川書房 編集部・著作権管理課
永野 渓子）

書評した本

『手紙魔まみ、夏の引越し（ウサギ連れ）』

穂村 弘著

文庫判・120頁・762円
小学館
978-4-09-406022-5

書評した人

吉田 詩織
よしだ しおり

宮城学院女子大学学芸学部
日本文学科３年

読書が大好きです。様々なジャンルに触れてみたいと思って本屋さんや図書館に行くのですが、最近は推理小説ばかりを手に取ってしまいます。

短歌が好きだ。

そう言うと、たいていの人が怪訝な顔とともに「変わっているね」という言葉をこちらに返してくる。疑問に思って数人に聞き、分かった。どうやら短歌には「小難しくて、馴染みがないもの」といった印象が強くあるらしい。

しかし現代短歌には

気づくとは傷つくことだ　刺青のごとく言葉を胸に刻んで　　枡野浩一

雨に似た言葉を持った人だった　字を丁寧に書く人だった　　加藤千恵

など多くの人が抱いてきたイメージとは違うものも多くある。

中でも固定観念をひっくり返すのが『手紙魔まみ、夏の引越し（ウサギ連れ）』である。

本書は、著者で歌人の穂村弘さんに送られてきた「まみ」という女の子からの五九一通の手紙がベースとなっている。あとがきでは、本書がその大量の手紙への返信であるとされていたが、短歌は著者の目線ではなく、すべて「まみ」の立場から詠まれていた。ところで「まみ」というのは、妹である「ゆゆ」と黒ウサギの「にんに」とともに暮らす女の子だ。

この作品にはそういった背景や、それを基にした設定に、著者の工夫が多々見られる。そもそも個性的なタイトルからして既存の歌集とは一味違うことが分かる。そしてさらに、それを引き立たせる、可愛らしくも毒のあるタカノ綾さんによる表紙と挿絵。書店に並んでいたら思わず手に取ってしまうだろう。そして、数ページめくって度肝を抜かれるに違いない。

可能性。すべての恋は恋の死へ一直線に墜ちてゆくこと

氷からまみは生まれた。先生の星、すごく速く回るのね、大すき。

外からはぜんぜんわからないでしょう　こんなに舌を火傷している

私が好きな歌を引いた。どうだろう。今まで教科書等でしか短歌を知らなかった人ならば、愕然とするのではないか。現代的で平易な言葉が用いられている点や、内容から受けるポップな印象に驚かされる人も少なくはないだろう。一読して理解できるものではないが、かといってまったく訳が分からないものというわけでもないと思う。

読者は「まみ」について、短歌を通してしか知ることができない。キャバクラ嬢やウエイトレスをやっていることや、病院にかかっていることが明かされても、いったいどのように働いているのか、何の病気であるのかは分からないまま想像を巡らせて読み進めていくしかないのだ。

歌集内で彼女は

ボーリングの最高点を云いあって驚きあってねむりにおちる

星の夜ふたり毛布にくるまって近づいてくるピザの湯気を想う

といった優しい日々の中に

包丁を抱いてしずかにふるえつつ国勢調査に居留守を使う

神様、いま、パチンて、まみを終わらせて（兎の黒目に映っています）

などの不穏な気配を漂わせながら暮らしている。

これらの、読者と「まみ」との距離感や、彼女自身の暮らしぶりは、私たちの現実生活と似ている。他者との関わりの中で何もかもをさらけ出す人はほとんどゼロであるし、四六時中、心穏やかな人もいないだろう。彼女はこの本の中にいるが、読者の心のとても近いところにも存在するのだ。

短歌は決して「小難しくて、馴染みがないもの」ではない。生活に密着していて、想像力を豊かにしてくれる。短歌と縁がなかった人にこそ、ぜひ読んでいただきたい一冊である。

書評した本

『燃えよ剣　上・下』

司馬 遼太郎著

文庫判・上 576 頁／下 553 頁
各 790 円　新潮社
上 978-4-10-115208-0
下 978-4-10-115209-7

書評した人

小栗 珠実
おぐり たまみ

甲南大学マネジメント創造学部マネジメント創造学科
２回生

ＬＧＢＴＱと性的マイノリティについてや、黒岩涙香と江戸川乱歩の作品に関心を持っています。

幕末に活躍した人物は誰か、と聞かれたら貴方は誰と答えるだろう。私は誰をおいても、新選組副長土方歳三と答える。新選組とは、幕末に尊王派を統制した、浪士で結成された佐幕派の警察機構のことである。活躍した期間は短かったが、池田屋事件や戊辰戦争など歴史に重大な影響を与えた。本書には、新選組副長土方歳三の、多摩時代から新選組結成、各地との戦闘、そして函館戦争で戦死するまでの「喧嘩士」としての生涯が事細かに描かれている。

この本を読んで、私は土方歳三の生き方にあこがれ、また魅了された。土方は自分の人生のすべてを新選組局長近藤勇のため、また新選組のために生きた。一回しかない一生を自分以外の何かのために捧げることは容易ではない。私には、今までに一生を捧げて頑張りたいと思えるものがなかった。好きなことや趣味はあるが、それを生業にして生きていこうというほどの熱量を持っていない。私はこの本に出合うまで人生に目的も無く、なんとなく日々を過ごしてきた。幕末と現代では世の仕組みや人の考え方が違うから、そのような生き方ができると言う人もいるかもしれない。しかし、土方は周囲の目を気にせず、ただ新選組の強化、近藤勇をたてるために生きた。この信念を貫き通すことは、時代に関係なく非常に難しいと私は思う。江戸時代は今とは違い、身分制が敷かれた社会である。その時代に、自分の意見を主張し続けることは並大抵のことではないと想像する。

　特にそう思ったのは、新選組総長山南敬助が脱走した時の沖田総司と土方の会話である。総長と副長は同格の身分であるが、隊士の直接指揮権は副長にある。総長は、局長の相談役という職務しかなく、ほとんどの隊士は山南が、そういう仕組みを作った土方を憎んで脱走したと考えていた。また、ほとんどの隊士は、土方を憎んでいた。沖田は、山南の脱走を機に土方が隊士から嫌われていることを知っておくべきだといった。土方は、平然と「知っている」と答えた。「おれは副長だよ。思いだしてみるがいい、結党以来、隊を緊張強化させるいやな命令、処置は、すべておれの口から出ている。近藤の口から出させたことが、一度だってあるか。将領である近藤をいつも神仏のような座においてきた。（略）副長が、すべての憎しみをかぶる。（略）新選組てものはね、本来、烏合の衆だ。ちょっと弛めれば、いつでもばらばらになるようにできているんだ」と。

　自分の信念を突き通すには、代償が必要だ。土方は、新選組、近藤のために隊士から憎まれることを選んだ。人から憎まれることは、つらいことであるが、その道を選んでも成し遂げたいと思う気持ちは誰でもできる行為ではない。

　また、土方は戊辰戦争中に近藤を失いながらも、新政府軍に立ち向かい勝利を摑むため様々な作戦を練った。近藤を失っても自分の道を貫き、最後は、函館で敵からの銃で撃たれ落馬し、息絶えた。最後まで信念を貫いて生きた土方の人生は、美しく崇高だと私は思った。

　本書は、土方がどう生きてきたのか詳しく描かれており、まるで土方と同じ時間を過ごしているような感覚になる。人生の目的もなく漠然とした日々を送っている、そんな人に本書を読んでほしい。何かのために尽くす、ということが美しく、素晴らしいことだと気づくことができ、意義のある人生にしようと思える一冊であるからだ。

編集者より

司馬遼太郎の描く土方歳三の魅力は、近藤勇が当初、彼なりの正義のもとに行動しながら、次第にその正義を失い、単なる将軍の家来となってしまったのに対し、自らが作り上げた「新選組」に殉じ、己の信念を曲げず、変節することがなかったところにあります。土方のような生き方を貫くのは、普通の人には難しいことでしょう。しかし、人生に目的を持つと持たないでは大きな違いがある。その大切さを、小栗さんの文から、改めて気づかされました。

（新潮社 文庫編集部 高梨通夫）

書評した本　　書評した人

『世界中が夕焼け』

穂村弘・山田航著

四六変・284頁・1600円
新潮社
978-4-10-457402-5

平野 杏
ひらの あん

名古屋大学
文学部3年

日本語学専攻で、上代日本語に興味があります。軽音楽サークルで担当のドラムや、バレエ鑑賞が趣味です。小説を執筆してみたいと思っています。

高校二年だったころ、短歌の本を探していた。現代短歌に挑戦していたのだが、詠むのも読み解くのも自力ではどうしようもないほど難しく感じて、参考になりそうな本が欲しかったのだ。そうして書店の狭い短歌コーナーを眺めていると一冊の本が目に入った。『世界中が夕焼け』というタイトルなのに真っ白な本だった。

　穂村弘さんの短歌に山田航さんが短歌評を書き、更に穂村弘さんが返事をする、という内容だった。その場で見つけた中で一番参考になりそうだったのでそのままレジに持っていったのだが、当時は結局、この本からはほとんど何もわからなかった。少し難しすぎたのかもしれない。

　内容もあまり覚えていなかったこの本を、大学生になってから改めて読んだ。

　どうして高校時代に難解だと感じたのかわからないほど面白かった。短歌の作者の穂村弘さんと、短歌評をつけた山田航さんと、それを読んでいる私が、三人でお喋りをしながら一つの短歌について考えているような気分になるところが魅力的だった。

　タイトルにもなっている「校庭の地ならし用のローラーに座れば世界中が夕焼け」の歌を見るたびに、私は中学校時代を思い出す。自分にとっての「世界中」が学校の校庭くらいの広さしかなかった中学生の頃、昇降口で親友を待ちながら見た夕焼けが美しく蘇る。まるで中学生だった私が本の中にいるような、生きた短歌だと思った。

ところが、山田航さんの短歌評には全く別のことが書いてあった。「ローラーの上に座るというのは、自分ができうる限りの高みにのぼるための手段がそれしかなかったということなのだろう」「あまりにも狭い世界を必死に生きている青春期の、微かな抗いのような一瞬を切りとってみせた歌」……。はっとした。そんな読み方があるのかと驚いた。慌ててページをめくり、穂村弘さんのコメントを見た。穂村さんはこの短歌で詠まれている狭い世界に焦点を当て、「「世界中が夕焼け」っていうことはありえないって知ってしまったら、もうそういうふうには表現できない」と述べていた。歌の作者の穂村さんは、山田さんの評に触れながら、山田さんとも私とも違うコメントを残していた。

同じ短歌の同じ言葉のことであっても、二人の意見は一緒であったり、違っていたり、片方しかその言葉に注目していなかったりする。私はそれを読むたびに、これでいいのかと思って安心する。短歌には音の制限があるから、詠み尽くせない内容はどうしても出てくる。山田さんは短歌に詠まれていない部分のことも自由に拾い上げて解釈を述べているが、穂村さんは合っているとも間違っているとも記していない。自分はこう思っていたとか、そこまでは想定していなかったとかに加えて、山田さんの意見を踏まえて膨らませた穂村さん自身の考えを少し記しているだけだ。

短歌を読み解くとき、自分の考えが間違っていたらどうしようと思うことがあるのだが、山田さんなりの解釈があるように、山田さんの短歌評を踏まえた穂村さんなりの解説があるように、私なりの理解があっていいのだ、とこの本を読むといつも感じる。三人でお喋りをする中で、はっきりした正解のない、自分だけが見つけられる短歌の意味を探っていくことはとても楽しい。

この本のタイトルは『世界中が夕焼け』だが、装丁は真っ白である。短歌のようだな、と感じる。表紙の夕焼けの色は、読む人によって自在に変わるに違いない。

著者より

短歌には歌会という文化があって、短歌一首を話のタネにあーだこーだと喋り続ける。ポイントは、建前として作品と作者を切り分けて語るお約束があることと、文章ではなくあくまで口語で論じるのを前提としていること。だから「三人でお喋りをしながら一つの短歌について考えているような気分」になってくれたのは、とても嬉しい。まさに擬似的な歌会として読んでくれたということだから。短歌は、「お喋りな文学」なのだ。

（山田 航）

書評した本　書評した人

『外国語の水曜日』

黒田 龍之助著

四六判・296頁・2400円
現代書館
978-4-7684-6784-8

水落 星音
みずおち あかね

一橋大学大学院
社会学研究科修士1年

人類学を専攻し、多様な愛の形について研究中。語学が好きで、主にドイツ語を学んでいる。

外国語に対して、どんなイメージがあるだろう。話せたらかっこいいけど、今更無理かな。英語で道を聞かれたらドキッとしてしまう。語学は学生時代でもうたくさんだ、といったような苦手意識を持つ人もいるかもしれない。著者によると、語学は才能ではない。苦手な人は、ただ今までの外国語との出会いがあまり幸福でなかっただけだ。

本書は、外国語学習や、言語学、はたまた日本語の面白さが、理系大学でロシア語を教える著者によって、ユーモアと共に綴られたエッセイである。言語学といっても、堅苦しい本ではない。外国語が大好きな人にも、外国語アレルギーの人にもぜひ気楽に読んでほしい一冊だ。

まず外国語嫌いの人に読んでほしいのは、第1章「水曜日の外国語研究室」である。本章では、毎週水曜日に著者の研究室に集まるユニークな理系学生達との交流を通して、外国語学習の面白さや醍醐味が描かれている。外国語の教師というのは、語学の天才のように思われるが、本書では著者の人間らしい試行錯誤や苦労、喜びが垣間見える。著者が学生のヂュンと共に、一から新しい言語の学習を始め、クラスメートという同じ立場で切磋琢磨するエピソードがある。確かに、外国語学習にコツはあるかもしれない。しかし、著者とヂュンはそれぞれ、暗記や知識の応用などの面で、得意・不得意があり、互いに良いライバルのようであった。また、外国語のダジャレを考えたり、間違いを恐れず習ったことを積極的に使ったりと、習う側も楽しむことが大切である。著者曰く、ことばはコミュニケーションの手段だが、情報伝達だけがすべてではないということは、ことば遊びの存在からもわかる。ことばを楽しむということからすべてが始まるのだ。

第2章「外国語幻想」では、外国語学習への先入観に対し、著者の経験から軽快に鋭く切り込む。例えば、難しい言語や易しい言語はあるのか、手っ取り早い習得法は留学か、文法はだめでも会話はできるかといった俗説に物申している。著者の主観による部分もあるが、外国語に触れた経験がある人にとって、あるあると頷いたり、はっと気づかされたりするような意見もあるだろう。

第3章「学習法としての言語学入門」は著者の講義ノートをもとに、外国語学習と言語学の関係を眺めながら、外国語習得に役立つヒントが分かりやすく紹介された章である。また、毎授業での実際の設問と学生の解答の一部も紹介されているため、自分で解答を考えてみるのも面白い。著者によると、外国語学習において重要なのは、やめないことである。完璧を求めず、中途半端でもしぶとく気楽にその外国語と付き合うことが大切だ。車の運転とは違い、生半可な知識しかなくても、そう命にかかわることはない。挨拶ができるだけでも楽しいものである。

第4章「本と映像に見る外国語」は本や映画から、言語学的書評・映画評が試みられている。本章で特に印象深かったのは、『ケナリも花、サクラも花』（鷺沢萠、新潮文庫）の項である。そこでは、ソウルの一流ホテルで、日本人の中年男性が、韓国人のフロントマンの日本語の発音を嘲るエピソードが紹介されている。外国人労働者が増えた日本では、彼らの日本語を馬鹿にする人々がいる。外国語を完璧に使い、外国で思い通りに生活するなんてことはなかなか難しい。外国語を勉強することは、人の苦労を知ること、すなわち異文化理解の第一歩でもあるだろう。

語学は一筋縄ではいかない。しかし、新たな世界を覗くのは楽しい。本書中には、外国語に興味が湧くような様々なヒントが散りばめられている。この本を読み終える頃には、きっと何語を勉強しようかワクワクしているはずだ。

書評した本

『夢があふれる社会に希望はあるか』

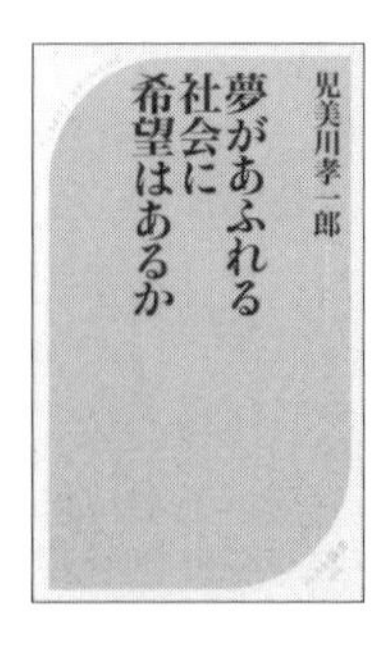

児美川 孝一郎著

新書判・190頁・760円
ベストセラーズ
978-4-584-12502-1

書評した人

西山 祐平
にしやま ゆうへい

名古屋大学文学部
日本文学専攻3年

デザイン系専門学校生の進路選択過程を分析した論文で学内の論文コンテストに入賞。現在、キャリア教育に大きな関心がある。

本書は、夢を持つことを強制する無責任な日本社会において、周囲の理想論に惑わされずに人生設計する方法を、キャリア教育の専門家である著者が提言する一冊である。著者は、人を前向きにさせる破壊的な威力を持つ一方で、時には人生を狂わせるようなやっかいさを持つ両義的な「夢」を「怪物くん」と形容して、「夢があふれる社会」の罪過を分析している。中高生でも読みやすい平易な言葉で紡がれた本書の知見は、キャリア教育研究に大きな貢献を果たしている。

本書は、主に四つの章から構成されている。第一章では、夢を実現して生活している人の割合を調査データに基づいて考察し、「夢」は固定的なものではなく可変的なものであることが説かれている。第二章では、日本社会が子どもや若者に夢を持つことを強制する社会に変容した起源を、特にキャリア教育の推進に求めて、その構造的欠陥を鋭く指摘している。第三章では、「幸せになりたい」や「人の役に立ちたい」などの漠然としたイメージを具体的な目標に変換するためには、職業世界の現実を知り、自分の興味・関心を掘り下げ、「夢」の捉え方を広げる必要があることが述べられている。第四章では、「夢が見つからない時」、「夢をめざしている時」、「夢が実現しそうにない時」の三つの状況に応じて、夢とどのように向き合うべきかが提案されている。

本書の特徴は、従来のキャリア教育研究とは異なる視座を提供する点にある。これまでも二〇〇〇年代に推進されて以降、キャリア教育の構造的欠陥はたびたび論じられてきた。キャリア教育は、若者に夢を追求させておきながら、それを実現する手段を具体的に与えてこなかったのである。そうした課題の解決にあたっては、キャリア教育のあるべき姿という論点が前景化するのが一般的であった。他方、本書はいかに、夢を持つことが無条件に称賛される風潮に感化されず、人生設計をできるかという個人の生き方に焦点が当てられており、そこに大きな意義がある。

しかし、本書は必ずしも読者層に中高生や若者のみを想定しているわけではない。たとえば、「子どもに将来の「夢」を言わせて、周囲の大人たちは、ただ笑顔でニコニコしているだけという風景は、その子がちびっ子の時だけにしてほしい」（一一一頁）は、子どもの進路に対する家庭環境や学校環境の影響力が大きいことを示す鋭い着眼である。子どもに適切な働きかけをするためには、大人たちもまた「夢」の正体を把握する必要があると述べるのだ。子どもの進路選択に対する親や高校教師の関わりという専門学校進学研究などで看過されがちな課題に興味深い示唆を与えている。

本書は、キャリア教育についての専門的な記述を望む読者にとっては、やや嚙みごたえの足りない入門的な内容かもしれない。しかし、いずれにしても本書は、今後の研究に継承されるべき要素を多分に含んでおり、教育社会学をはじめ多くの研究分野において、広く参照されるべき一冊である。

著者より

不安七割、期待三割くらいで、書評を目にした。読後、正直「やられた」と思った。評者は、拙著の内容をバランスよく咀嚼したうえで、それを堂々と既存のキャリア教育研究のなかに位置づけ、論評を試みた。本書は、若者が夢という「やっかいな怪物」と等身大に向き合うためのヒントを、俯瞰的な視点から提供しようとしたものである。そんな僕の企図の特徴を、評者は研究史の文脈に位置づけ直して示したのである。凄いね！

（児美川 孝一郎）

書評した本　　書評した人

『祈りの幕が下りる時』

東野 圭吾著

文庫判・448頁・780円
講談社
978-4-06-293497-8

鈴木 美緒
すずき みお

愛知大学
経済学部3年

大学ではライフル射撃部に所属しています。大会でいい結果を出すために練習を積み重ねています。

本書は加賀恭一郎シリーズの10作目である。本シリーズは主人公加賀恭一郎が警視庁捜査一課や所轄など所属を変えながらも事件に立ち向かう連作短編のミステリである。本作は2018年に映画化されており原作、映像ともにシリーズの中でも印象に残っているものだったので選書した。

事件は押谷道子が越川睦夫の借りるアパートで死体として発見されたのが始まりである。殺された土地は押谷道子とは全く関係がなく、越川との関係も不明であった。また同時期にホームレスの焼死事件が近くで起こっており、事件の捜査をする松宮は二つの事件に関連性を感じていた。

押谷道子の捜査をするうちに、彼女は古い友人である舞台演出家、浅居博美に会うために上京したことが判明した。浅居博美は押谷道子が殺害される直前に会っていることもあり、事件の容疑者となった。事件の真相を捜査していくうちに彼女の生い立ちが明らかになっていく。

実は本書には殺人事件の他に、もう一つミステリがある。それは、松宮の従兄弟である、加賀恭一郎の母の死にまつわるものだ。加賀の母の遺品の中には「12の橋の名前」が書きこまれたカレンダーがあった。そして越川の部屋からも同一の書き込みがされたものがみつかったことから、加賀は母の謎に関係あるのではないかと思い捜査に参加することになった。

私は本書に二つの見どころがあると感じた。

一つ目は事件の主要人物である浅居博美である。彼女と彼女の父である忠雄はただの親子よりも強い絆で結ばれていた。彼女たちは最後までお互いのことを大切に思いながら動いていた。娘が夢を叶えて幸せになるのを願いながら覚悟を決める忠雄や、そんな忠雄を感じ取り最後の行動にでた博美には感動するものがあった。そんな彼女たちの行動はお互いに対する愛情からくるものではないかと感じた。一般的なミステリだと事件の謎解きに重きがおかれるものもあるが、本書ではヒューマンドラマの要素も強く描かれていると思う。そのため、ミステリとしてではなくとも楽しめるのではないだろうか。

二つ目は最後の最後まで犯人が分からないところである。私にはこのことが一番の見どころに感じられた。いいミステリ作品で、最後まで犯人が分からないことは当たり前だといわれるかもしれない。しかし本作では、中盤にかけて徐々に情報が集まり、一度は事件の真相に近づいていると錯覚させられるも、加賀の母の交際相手や浅居博美の父の死、中学の担任であった苗村がついた嘘といった、捜査をしていく中で出てきた謎に矛盾が残り、まだ真実にたどり着いていないことが暗示される。最後まで読み切ったとき、結末は読者の予想を大きく裏切るものだったのではないだろうか。その結末に、独立した情報がすべてつながり、読者の私が途中で感じた違和感が消え去るようだと感じられた。

書評した本　　書評した人

『真ん中の子どもたち』

温 又柔著

四六判・168頁・1300円
集英社
978-4-08-771122-6

小島 秋良
こじま あきら

名古屋大学大学院人文学研究科博士前期課程２年

戦争文学について研究しています。最近は翻訳された韓国や台湾の文学にも関心を持っています。

「日本人」だから完璧な「日本語」を話し、「中国人」だから正しい「中国語」を使うのだろうか。「母国語」といったとき、その母国は誰が定義しているのだろうか。本書は何気なく話している言葉と個人の関係を立ち止まって考えさせてくれる一冊である。

主人公のミーミー（天原琴子）は、日本人の父と台湾人の母を持ち3歳の時日本へやって来た。その後日本で教育を受けた彼女は日本語を不自由なく使えるようになるが、中国語は台湾にいた頃よりも話せなくなってしまう。そこで高校を卒業すると母の言葉である「中国語」を勉強するために、日本国内の中国語専門学校に進学し上海に短期留学する。しかし上海で直面するのは、正しい（とされる）「中国語」の存在である。一言で「中国語」と言っても台湾で使われる「國語」と、上海で学ぶ「普通話」には発音の違いがあり、真面目で厳しい陳老師に「わるい癖」だと注意を受けてしまう。加えて台湾人の母がいるわりには自分の語学力が低いことに自信をなくしてしまうなど、一筋縄ではいかない言葉の世界が描かれる。そのような中で彼女が、台湾人の父と日本人の母を持つリンリン（呉嘉玲）や、中国から日本に帰化した両親を持つ龍舜哉との交流を通し、言葉に向き合い続ける物語である。

本書は２０１７年上半期芥川賞候補作になった。その際選考委員の宮本輝氏が「当事者たちには深刻なアイデンティティと向き合うテーマかもしれないが、日本人の読み手にとっては対岸の火事であって、同調しにくい」（注１）と評し物議を醸した作品でもある。

私自身は日本国籍を持つ両親のもとに生まれ、日本で教育を受け、日本で生活している。「母国語は何？」と聞かれれば迷わず「日本語」と答える。そんな私にとって本書は言語とは個人のアイデンティティーとも深く結びつき、考えていた以上に複雑で複層的な世界を持っていることに気づかせてくれた。作中の舜哉の言葉に、「ナニジンだから何語を喋らなきゃならないとか、縛られる必要はない。両親が日本人じゃなくても日本語を喋っていいいし、母親が台湾人だけれど中国語を喋らなきゃいけないってこともない。言語と個人の関係は、もっと自由なはずなんだよ」というものがある。日本人であれば皆同じ日本語という一つの言語を使っているはずだという意識があるからこそ「対岸の火事」と捉えるのかもしれないが、その「日本語」も実際には方言や独特の発音などが交じり一人一人異なるだろう。それらは「正しい」日本語ではなくとも自分の言葉を作る重要な要素となっている。

本書では「中国語」「台湾語」「日本語」が簡体字、繁体字、カタカナ、拼音など様々な表記方法で描かれる。第二外国語で中国語を勉強している人や留学を考えている人はもちろん、そうではない人にとっても言葉の自由さや温かさを感じさせてくれる一冊だと思う。個人と言葉の関係というと近寄りがたいテーマに感じるかもしれないが、自分は日本人だから、日本語だけが話せる言語だから、と思っている人にもぜひ言葉の世界の豊かさを味わってみてほしい。

（注１）「芥川賞選評」『文藝春秋』95巻9号、２０１７年9月

著者より

「一筋縄ではいかない言葉の世界」で「言葉に向き合い続ける物語」。そんなふうに評してもらえて、自分の本がいっそう愛おしくなりました。かつての自分のような「真ん中の子どもたち」に「私たちは素敵なんだよ！」と伝えたくて書いた小説を、小島さんが「我が事」として受けとめてくださったことが、とっても嬉しく、また頼もしいです。ミーミーたちの友だちの中に、秋良さんという名前の子がきっといるかも、とつい空想してしまいました。

（温 又柔）

書評した本　　書評した人

『ゲームプランとデザインの教科書 ぼくらのゲームの作り方』

川上 大典ほか著

Ａ５判・414頁・2400円
秀和システム
978-4-7980-5350-9

三浦 昂太
みうら こうた

上智大学理工学部
情報理工学科４年

在学中からゲーム業界で働いたり、企画コンペに出たりなどした。卒業後もゲームプランナーとして働く。

※「あなたは　週刊読書人を　読み始めた！」

あなたがこの文章を読んでいるということは、何らかの理由で私は、あなたに「ゲームプランナー」という仕事を知ってもらう機会を得たということだろう。すでに知っているかもしれないが、ゲーム業界には「ゲームプランナー」という企画専門の職種がある。近頃は「ゲームプランナーになりたい！」と、夢を抱く大学生も多い。そう、わたしのように。

ゲームプランナーには不思議な魅力がある。そして、その魅力は多くの人々の心にも通じるものだと思う。だからこそ、私はこの文章を通じて、あなたにもその魅力を伝えたい。

さあ、町の書店へ向かい、『ゲームプランとデザインの教科書』を探すのだ！

『ゲームプランとデザインの教科書』とはゲーム業界の企画職に当たる「ゲームプランナー」という職種について書かれている本だ。ゲームプランナーの仕事内容から、求められる能力、良いプランナーになるためにはなど、日常では知ることが難しいあらゆる情報に触れることができる。
ゲームに関して全く知識がない人もいるだろうが、安心してほしい。本書はゲーム業界がどういう所かという易しい導入から始まる。ゲームに詳しくなくても読み進めることができるだろう。メタルスライムを倒すより早く経験値が身に着くはずだ。はっはっは。

さらにこの本は、すでにゲームプランナーを目指そうと覚悟を決めている学生に大きな力を授ける魔導書でもある。

もしあなたが、ゲームプランナーを目指しているならば、就職活動の際、企業から企画書の提出を求められることがあるだろう。多くの者がサンプルを求め、ネットの海へと繰り出すはずだ。しかしネットの海は広く、意外と望むものは見つからない。ゆえに、書き方が分からず苦しむ大学生も多い。

本書では、企画書の基本的な書き方だけでなく、企画書をより魅力的に見せる方法や、アイデアの生み出し方など、ネットでは見つけられなかった情報を知ることができる。さらには、ヒット作を生み出したプロのゲームクリエイターたちが実際にアイデアを企画書にまとめる流れを、本を読み進めることで疑似体験することもできる。まさにゲームプランナーを目指す学生にとってのグリモワールだ。私も、本書から豊富な知恵と豪華クリエイターたちの力を借りることで、自らの企画書を作り上げることができた。

その他にも、本書からはゲームプランナーとしてのスキルの磨き方や、ゲームをより面白くするための手法など、ゲームプランナーに必要なあらゆる情報を手に入れることができる。面白いゲームを生み出すためには自分が面白いと感じるゲームの分析も必要だ。しかしやってみると案外難しく、答えが堂々巡りになってしまったりする。本書はそういった場面でも、先人たちの知恵と力を呼び出し、ヒントを与えてくれる。

ゲームプランナーを目指す者、そしてこれからゲームプランナーとして働く者、あるいはすでにゲームプランナーとして働いている者……。ゲームに携わる全ての人に、本書は力を授けてくれるだろう。ゲームに惹かれし者よ、いまこそ伝説の一冊を手に入れる時だ。

書評した本　　書評した人

『もの食う人びと』

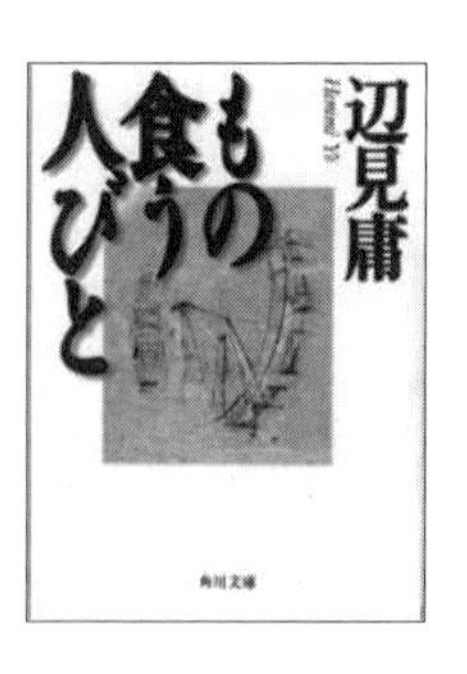

辺見 庸著

文庫判・368頁・720円
KADOKAWA
978-4-04-341701-8

渡邊 翼
わたなべ つばさ

上智大学大学院グローバルスタディーズ研究科
地域研究博士前期課程

専門は社会問題研究。ラテンアメリカ、特にメキシコをフィールドとする。日本酒とメスカル、そして本をこよなく愛する大学院生。

スペイン語には「知る」という動詞が二つある。saber（サベール）とconocer（コノセール）だ。これまでの私の旅がsaberなら辺見の旅はconocerである。

本書のテーマは至ってシンプル。人びとがいま、どこで、なにを、どんな顔をして食っているのか、それともどれほど食えないでいるのかを知ることだ。辺見はさまざまな国や地域へ訪れ、各地の人びとと同じものを食いまくる。

なぜこのような旅をするのか。それは日本の食状況にある。辺見は言う、「長年の飽食に慣れ、我がまま放置で、忘れっぽく、気力に欠け、万事に無感動気味の、だらりぶら下がった、舌と胃袋。だから、こいつらを異境に運び、ぎりぎりといじめてみたくなったのだ。この奇妙な旅の、それが動機といえば動機だ」と。

ゆえに辺見は、気品あるレストランを俎上に載せ、優雅に語るグルメ本のような、洒落たことはしない。むしろ生死の瀬戸際、食う、食らいつく。そんな状況下にある人びとを取り上げる。

彼はスラム地区の人びと、出稼ぎ労働者、囚人、放射能に汚染された所に住む村人、難民キャンプで生活する人びとに接触し、残飯、囚人食、難民向け援助食材、放射能汚染食品などを食う。

一方で取材も怠らない。彼が対象とするのは、大新聞の紙面を飾るような人びとではない。その対極の、ただのもの食う人びとだ。そんな彼らの語りは、飽食の世界に住む我々から見ると奇怪ともいえるものを、なぜ食い、どうしてそこで生活するのかを教えてくれる。

本書の一節を紹介する。辺見はダッカの駅前広場の屋台で、焼き飯を注文する。口に運んでいると、店主から残飯だと指摘される。うっとなり、皿を放り出せば、か細い腕がニュッと横から伸び、少年らが皿の奪い合いをはじめる。ダッカには富裕層の食べ残しを売る残飯市場がある。残飯を求めて並ぶ女性たち、橋の袂に転がる死体。残飯が商品化するなか、それすら食えず死んだ者がいることを辺見は推察する。バングラデシュ政府は食の確保を国策としている。政府、富裕層、中間業者、残飯に食らいつく人、ありつけない人……辺見は食を切り口に、わずか九頁で、ダッカの社会を描く。

saber は知識や情報を知っているときに使う。conocer は人や場所、物に精通しているときに使う。彼を知っているという文で、前者の場合、彼と面識はないがその名前を聞いたことはある、となる。後者の場合、彼と面識があり よく知っている、となる。

これまで私は、十数ヵ国訪ねた。一年間メキシコに留学もした。だが、思い返せば、スラム街は危険だからと避け、屋台料理は不衛生だからと食わず、物乞いは危ないからと近寄らず、ガイドブックに載る情報を確かめる、saber の旅をしていた。いわば、上澄み液をすくい取り、満悦していた。辺見は違う。彼は食を切り口に、濁液の中に浸り込む。そして、人びとの小さな語りを紡ぎあげ、人と社会を鮮やかに描く、conocer の旅だ。

私は幸運だと思う。メキシコへ行く機会をもう一度手にした。今年の八月から一年間、メキシコ大学院大学（El Colegio de México）で研究する。研究だけで三百六十五日は過ぎない。東西南北、メキシコを知るため、いろいろな場所へ訪ねようと思う。その時の「知る」はsaber ではない。conocer である。

書評した本

『ベンサム　功利主義入門』

フィリップ・スコフィールド著

四六判・288頁・3200円
慶應義塾大学出版会
978-4-7664-2003-6

書評した人

阿部 大和
あべ ひろかず

創価大学教育学部
児童教育学科２年

教育学をはじめ国語・心理学・倫理学を中心に勉学に励んでいる。

「最大多数の最大幸福」という言葉で知られるジェレミー・ベンサムは、現代の倫理学・法哲学・政治哲学・経済学・教育思想などの数多くの理論に影響を与えている。私は現在、大学で教育学部に所属しており、教育学の観点からベンサムの思想に触れる機会があったので、功利主義について深く知りたいと思い本書を手に取った。

ベンサムの特徴的な思想の基盤でもある量的功利主義は、多くの場合その名や扱う内容から誤解を生み、教育学においても批判の対象とされることが多い。実際に彼の思想は、「より多くの人が快楽を得ることで社会全体の幸福も実現する」というもので、快楽を最大化しつつ苦痛を最小化するためであれば多少の犠牲も厭わないというものである。本書によると、この理論を表面のみで解釈し、利己主義的だの不平等だのと批判する学者が大勢いるという。

まず、利益の衝突があってもなお幸福を追求しようと試みる利己主義とベンサムの功利主義には決定的な違いがある。後者は「なにかを失うことによって生み出される苦痛は何かを得ることによって生み出される幸福よりも大きい」と主張している。つまり、自分の快楽ばかりを優先して他者を苦痛にさらすことは、ベンサムの功利主義の上では推奨される行為ではないということである。その点で、利己主義とは大きく違う。

次に、ロールズという哲学者は彼の著書『正義論』で、

「功利主義は個々人の差に配慮することなく、幸福を不平等に市民に分配している」とベンサムの功利主義を批判している。しかしこの点においてもベンサムの功利主義は抜け目がなく、副次的目的を提供している。副次的目的とは、市民が幸福を追求する際に必要不可欠な「生存・豊富・平等・安全」の4項目を確保することであり、不平等を解消しようと試みている。この副次的目的の追求は、単に市民を偶発的な危害から守るだけでなく、個々人が将来に対する「期待」を確立し、人生の計画を立てることを目的としている。これにより格差を是正し、平等を実現しようと試みつつ、幸福の追求を求めようとしている。すなわち、ベンサムの功利主義は、決して人々の差を無視した不平等なものではなかったと分かる。

さらに、カントのような動機主義と比べても、ベンサムの功利主義がいかに現実的か知ることができる。ベンサムによると私たちの行為の大半は、自利的な動機によって生じているという。例え利他的に行動しているように見える人がいたとしても、実際は他の人の快楽を見ることで行為者も快楽を得ており、それを動機として行動を引き起こしているのである。この考え方は嘘と真実の問題においても論じられている。カントの動機主義的な考え方に立つと、嘘をつくこと自体が道徳的に誤った行為とされている。しかし、ベンサムに言わせると、嘘をつくことの利益が真実を述べることの利益を上回るのであれば、嘘をつくことが正しい。例えば、ある情報を利用して悪事を働こうと企んでいるものに真実の情報を教えることは不条理な事であると誰もが自然に判断するであろう。そういった観点から考えると、私たちは日常生活の中で自然に功利主義的な思考を働かせているのではないかと思われる。

ベンサムの思想は誤解を生みやすく、しっかりと理解したうえで取り扱う必要がある。本書はそういったベンサムの主張を様々な視点から分かりやすく扱っているので、難解な哲学書を読む前の足掛かりとして有効である。功利主義は悪だと決めつけるのではなく、是非一度、本書を手に取って彼の思想に触れていただきたい。（川名雄一郎・小畑俊太郎訳）

訳者より

本書を翻訳したのは、とりわけ若い世代の人に「功利」という言葉が与えがちな偏見や誤解にとらわれることなく、ベンサムや功利主義について理解を深めてもらいたいと思ったからでした。その意味で、限られた紙幅の中で的確な理解を示している阿部さんの書評は訳者にとっては特に嬉しいものでした。この書評に誘われて本書を手にとってくれた若い人たちが本書に少しでも知的刺激を感じてもらえることを願っています。

（川名 雄一郎＋小畑 俊太郎）

書評した本 書評した人

『歌集　滑走路』

萩原 慎一郎著

四六判・160頁・1200円
KADOKAWA
978-4-04-876477-3

竹内 美祈
たけうち みのり

上智大学総合人間科学部
教育学科4年

宗教科教育の理論と実践方法（卒業論文の主題）に関心を持ち、詩作、動画配信などの表現活動を積極的に行っている。

20世紀のアメリカの心理学者ウィリアム・ジェームズの提唱した概念に「健全な心」、「病める魂」というものがある。「健全な心」を持つ人は1度生まれるだけで幸福になれるが、「病める魂」の持ち主は2度生まれないと幸福になれないと言うのだ。大学の講義でジェームズのこの主張について学んだとき真っ先に思い出したのが、歌集『滑走路』の作者、萩原慎一郎のことだった。彼は、そして私たちは、病める魂を内に抱えて生きている。病める魂を抱えて、もがきながらも生きようとしている。

「人間の魂がどの程度まで不調和に対して敏感になれるか」。ジェームズは言う。世界が他人より少しばかり見えやすい人は、その不安定さに、不確かさに、騒ぐ胸を抑えることができない。

路上音楽家の叫び虚しく誰ひとり立ち止まることなく過ぎるのみ
「プラトンの書」

魂はそっと教室抜け出してもっと肝心な事探してた
「太陽のような光」

歌作とは、ぬくもりのある日常のごくごく些細な出来事をメタ認知的にとらえて抽出する作業なのだと思っていた。自然や子どもの純粋さの中から癒しを見つけて

「ほっこり」を共有する、お休み処的な存在なのだと。テレビ番組の特集で、彼の歌を見て知った。短歌とは、都会に暮らす人々への生ぬるい癒しなんかじゃない。渇く魂の叫びだった。生活に余裕があるから、潤いがあるから歌を作るんじゃない。渇くから。渇きを抑えないと生きていかれないから、歌を作る人がここにいた。私たちと同じように満員電車に乗り込み、自分を殺して、人間性を殺して職場に向かう、私たちの分身が、代わりに叫んでくれていた。

抑圧されたままでいるなよ　ぼくたちは三十一文字で鳥になるのだ

「プラトンの書」

＊

屋上で珈琲を飲む　かろうじておれにも職がある現在は

「ソプラノ」

「君の代わりはいくらでもいる」。現代社会が掲げるこのメッセージは、ドラマや小説の中でも盛んに用いられ、すっかりお馴染みの絶望感を私たちに与え続けている。いつの世も労働は苦しく、不安定なものであったに違いない。しかしそれだけではなく、代わりはいると言われ続け、だんだん透明になっていく私たちの身体感覚を、この寂寥の念を萩原は歌う。「選択肢を広げるために勉強しろ」と言われてきた。広がったと思われた選択肢も結局は社会が提示してきたものばかりで、いつでも切り捨てられ得る私は、人工知能よりも性能が悪いらしい。すっかり無色透明になってしまい、ぢっと見る手もない現代人のやるせなさをそっと掬う。

クロールのように未来へ手を伸ばせ闇が僕らを追い越す前に

「僕たちのソファー」

＊

きっと私たちは、弱い時にこそ強い。抑圧されたときにこそ、魂の熱い叫びが噴出して止まない。病める魂は、単純な励ましの言葉や明る過ぎる笑顔では救われないこともある。苦しみの淵から命を懸け、2度目の誕生を目指して奮起する姿に希望を見出す。自分にもできるかもしれないと、また生まれられるかもしれないと、挑戦する意志を新たにできる。萩原にとっての2度目の誕生は、歌の誕生の瞬間に他ならなかった。何をしても虚無感がつきまとう現実に目を背けられなくなった私たちに、命の誕生の瞬間の光をそっと垣間見させてくれる一冊だ。

東京の群れの中にて叫びたい　確かに僕がここにいること

「歌詠む理由」

書評した本

『竹久夢二詩画集』

石川 桂子編

文庫判・352頁・1200円
岩波書店
978-4-00-312081-1

書評した人

近藤 里咲
こんどう りさ

二松學舍大学文学部
国文学科1年

本を通して人を知ることに面白さを感じています。好きなものは閉じられた空間に生まれるロマンチシズムとリリシズムです。

あなたの生活に、詩はあるだろうか。営みや自然を切り取って表現することを詩作と言うのなら人々は皆、詩人になりうる。では詩作は何によって成るのであろうか。多くの場合、それは言葉によってであろう。しかしそれ以外の方法では詩を生み出せないのかと問われれば決してそうではない。絵画や彫刻、音楽によっても世界や気持ちを切り取って表現することはできるからだ。『竹久夢二詩画集』は一人の手によって成った絵と言葉の二つのタイプの詩で構成されている「詩集」である。

夢二の描く美人画は「夢二式美人」と言われ大正の時代を風靡し、現在では教科書に載るほどである。そんな彼が言葉による詩を書いていたことは意外に思われるかもしれないが、夢二はもともと言葉の詩人志望だったのである。ではなぜ絵による詩作が増えたのかと言えば、単純に彼にとっては世の中に受け入れられやすかったのが、絵の方だったからである。

夢二は過去を回想する中で「文字で詩をかくより形や色でかいた方が、私には近道のような気がしだして、いつの間にか絵をかくようになってしまった」(「私が歩いてきた道」)と言っている。「近道」というのは詩人になる近道だと考えて差し支えないだろう。彼は無意識のうちに絵による詩人の道に入っていったのである。

無論、言葉による詩作も続けており、著書五十七冊のうち三十冊に詩が含まれている。そのうち、純粋に詩集と言えるのは五冊のみで、それにも挿絵が含まれている。

つまり夢二の言葉も絵も、彼の「詩」にとって切っても切れないものとして完成していたのではないだろうか。彼の逝去後、少女小説家の吉屋信子は「あの絵に付いた抒情詩には、どんなに影響されたでしょう」と述べている。

夢二の「書く」詩は、彼の「描く」詩と同じく恋愛を謳ったものが多い。けれども私には、ありふれた苦しみ、風景のあるがままを謳ったものの中にこそ、夢二の作品が持つ心の優しさ、切なさが表れるような気がする。本書において編纂された非恋愛詩群の多くは単行本未収録のものである。その中の一つで私が好きな、「青い海越えはるばると」という詩を挙げる。「単行本未収録詩篇から」の最初のページに見開きで載っているこの詩は、絹本墨書淡彩という黄土色の絹地に、墨で、上部に言葉が、その下三分の二を埋める大きさで、つぶらな目をした一匹の象が、抒情詩として描かれている。

青い海越えはるばると

夢二

青い海越え
はるばると
日本の島へ
きた象は
何が悲しうて
泣きやるぞ。
かなしいのでは
ないけれど、
生まれ故郷が
なつかしい。

ただ端的に夢二が見たものを述べたこの詩は、シンプルだからこそ人にまっすぐに伝わると思う。夢二の絵としての詩も、言葉としての詩もその点においては同じである。世に溢れる装飾過多な婉曲した言葉や絵は本質が見えにくい。もちろんそれらの詩の中にも素晴らしいものはある。けれどもいつも本当とは何かを探して回るのは疲れてしまわないだろうか。夢二の詩はいつも私のそばにあって、具象化されていなかったものを教えてくれる。読者は、夢二の詩に触れることで、気づかなかった自分自身に触れることができる、かもしれない。

編者より

数多くの恋愛を重ね、美人画家のイメージが強い竹久夢二は、人間の孤独や哀しみ、うつろう心に眼を向けた詩人でもありました。

親しみやすい言葉で綴られた短詩と、個性的な絵を組み合わせた詩画の趣意は、近藤さんが感じられたように「まっすぐに伝わ」り、読んだ後「心の優しさ、切なさ」に包まれます。

夢二によって「気づかなかった自分自身」と向き合う面白さや発見もあり、これから何か詩を読んでみたい人にお薦めの一冊です。

（石川 桂子）

書評した本

『人身売買と貧困の女性化　カンボジアにおける構造的暴力』

島﨑 裕子著

Ａ５判・180頁・2500円
明石書店
978-4-7503-4691-5

書評した人

掛端 凌雅
かけはた りょうが

日本大学法学部
政治経済学科２年

HIPHOPのトラック制作に力を注ぎ、クルーの一員として活動。また、主に学生を対象に、LINE@にて国際時事情報を週２で配信中。

早々に主題を述べてしまうが、著者は本書を通して読者に「平和」について問いかけている。ここで改めて考えてほしい。まず、「平和」とは何なのか？　それを思い浮かべて欲しい。平和＝戦争が無いことと定義しなかっただろうか。

「平和」を考える前提として、そもそも、本書の題名にも記されている「構造的暴力」とは何なのか？　それは「社会の不平等や格差、差別や偏見、貧困」の中に生まれる、社会構造から発生する「暴力」である。タイトルから読み取られる通り本書には、カンボジアに於ける「貧困」や「人身売買」の中に見出される「構造的暴力」について書かれている。

著者はヨハン・ガルトゥング（John Galtung）の定義する「構造的暴力」が無い事を、「平和」として扱っている。ガルトゥングは、著書『構造的暴力と平和』で広く知られている社会学者で、「平和学の父」と言われている。「戦争が無い事」、ガルトゥングはこれを「直接的暴力」の不在とし、それだけでは「平和」とはならないとしている。勿論、著者もその立場を取る。

平和を目指すべく、国際社会から「構造的暴力」によって作り出される「貧困」を無くさねばならない。その「貧困」の原因について、著者はアマルティア・セン（Amartya Sen）の考えを用いて説明する。センは、著書『貧困と飢餓』や『不平等の再検討』で知られる経済学者で、著者の「貧困」の解決方法の考えに大きな影響を与えているように思われる。

ガルトゥングやセンといった、国際的なオーソリティーの思考に触れられるだけでも、本書には十分な価値があると言えるであろう。しかし、それだけではない。それ以上に価値のあると思えるのは、本書を通じ、現地の人間の意見を知ることが出来ることだ。著者は長期間のカンボジアでのフィールドワークで、「構造的暴力」を受けている被害者に対して聞き取り調査を行っている。例えば、父親が失業によりアルコール依存となり失踪してしまった家庭の次女、マネットさん。彼女は、外国の売春宿での出稼ぎの経緯や被害などを語っている。本書には、マネットさんの語りを含む計8つの聞き取り調査が掲載されている。カンボジアの貧困者に比べ、日本に住み人間らしい生活を送っている私たちの幸せさに気付かされる。現在、日本の外務省は、カンボジアを危険レベル1（危険を避け、十分な注意が必要なレベル）に設定している為、カンボジアには行きづらい又は行きたくないという人も、少なからずいるはずだ。もしカンボジアに観光目的で行く事があっても、何のコネクションも無く、知識の乏しい私たち一般人が、現地で聞き取り調査をするのは困難を極める。実際に自分で現地へ足を運び、聞き取り調査が出来ない私たちには、この著書を手に取る価値がある。

さらに著者は、既存の考えや事実を列挙しているだけではない。第5章、第6章で、島﨑氏の「構造的暴力」からの脱却の方法が記される。その方法が、単なるNGOやその他非国家アクターによる外部支援ではない事に驚かされるであろう。勿論、支援が必要である事は所与の事実だが、その支援の仕方に注視すべき点がある。

著者を始めとするオーソリティーのある学者らの考えと現地の声を基に、あなたの「平和」に対する思考が直感的な物ではなく、確かなる物になる事を望む。

著者より

掛端さん、書評をありがとうございました。本書から現地の人びとの姿を感じてもらえて嬉しく思います。私は現地の人びとから多くのことを気づかせてもらいました。世界には見ようとしなければ見えない問題や人びとの存在があります。私たち一人ひとりが、世界で起こっている事柄にアンテナを張り、人びとに目を向け、耳を傾け、社会を考えていけたら良いですね。本書が様々な角度から世界を見つめるきっかけになることを願って。

（島﨑 裕子）

書評した本

『ＡＸ』

伊坂 幸太郎著

四六判・312頁・1500円
KADOKAWA
978-4-04-105946-3

書評した人

中條 望
なかじょう のぞみ

明治大学文学部
文学科３年

アカペラと演劇のサークルに所属。読書、旅行も好きである。最近は深夜バスで岩手に行き、わんこそばを百杯完食した。

「玄関ドアに鍵を差し込む。ゆっくりと入れたにもかかわらず、がちゃりと響くのが、兜には忌々しくてならない。音が鳴らない鍵が開発される日は来ないのか」。この冒頭の一節を読めば、伊坂ファンはにやりとするに違いない。また愉快な犯罪小説が始まったと。伊坂と言えば、軽快な文体と憎めない殺し屋の話だ、と想像する人も少なくないだろう。

しかしこの冒頭の「玄関ドア」は〝自宅の〟ドアである。深夜の物音で妻が起きてしまったら大変なことになる。大変なこととはつまり、翌朝「彼女の吐いた溜め息が積もって、床が見えなくなる」状況のことである。兜は業界でも有名な殺し屋でありながら、大の恐妻家だったのだ。普段は文房具メーカーの営業マンとして働き、その傍ら殺しを行う。そして家には、さっぱりとした性格の一人息子と、「虎の尾ならぬ妻の尾」を家の床中に這わせた妻が待っている。充実したサラリーマン生活を送っていたともいえる。しかし彼は、殺し屋としての生活を辞めたいと思っていた。兜を殺し屋として利用し続ける冷酷な雇い主に対して、兜は一世一代の大勝負をかける。

兜は一見、妻に怯えながら暮らしているように見える。

物理的には妻よりはるかに強いはずなのに、なぜそこまで気を使って生活しているのか。そこには兜の人生の喜びが詰まっている。「ぬかるんで歩きにくい道ばかりだ、と思っていたが、横を見やればほかの人たちはみな、舗装された道を歩いている。／ずっとこのままなのだろうか、と浮かんだ疑問を自身ですぐに消す。ずっとこのままに決まっていた」。そう思っていた矢先に「キッズパーク開園」のチラシを差し出された。「いいお父さんになれそうだけどね」と馴れ馴れしく話しかけた女性。兜の人生とは無縁だった温かさが、彼の真っ暗な人生を反転させたのである。兜は物語の冒頭から奥さんのご機嫌を取り続けている。だから私達はつい、彼も家族という不自由な幸せを抱えて生きていると勘違いしてしまいそうになる。しかしそうではない。彼にとっての家族は、後ろ暗い人生の唯一の光だったのだ。殺し屋として名を挙げた兜がいつも想ったのは家族のことだった。

　私たちは、今目の前に提示されているものだけで相手のイメージを作りがちだ。兜は家族を愛しているごく普通のサラリーマンである。そんな彼の普通でない点は、彼が名の知られた殺し屋だということだ、と。しかし真実はそうではない。兜はずっと後ろ暗い人生を送ってきた。その中でたった一つだけ手に入れた普通の幸せが家族だったのだ。白い道に黒い点があったのではなく、黒い道にたった一つの白い光があったのである。彼が家族を大事にすればするほど、彼の生きてきた人生、暗い側面が浮き彫りになっていくのは哀しい不思議だ。それは、強い斧（AX）にばかり焦点があてられるカマキリが、実態は小さな虫として一生懸命生きている様に似ている。

書評した本　書評した人

『鋼鉄のシャッター　北アイルランド紛争とエンカウンター・グループ』

パトリック・ライス著

B6判・158頁・1600円
コスモス・ライブラリー
978-4-434-03994-6

葛西 亮地
かさい りょうち

青山学院大学
社会情報学部3年

2浪を経て現大学。臨床心理学的なアプローチによる健康な社会の実現に関心がある。

「北アイルランド紛争」は、1970年代～1997年まで北アイルランドにおいて、カトリックとプロテスタントの間で起こった戦いである。著者はその紛争のさなかにいる両者を含んだエンカウンター・グループを試み、その様子を映画として収めた。本書はその映画の内容（グループの実際の様子）と、グループ実施前後の出来事を論文としてまとめたものである。

グループは9人のメンバー（プロテスタント5名、カトリック4名）と3人のファシリテーターによって構成されていた。メンバーは3日間にわたり、およそ24時間をともに過ごした。始めの数時間、メンバーは激しい暴力にまみれた、死と隣り合わせの自分たちの生活と、グループへの参加理由について話した。たとえば、死体安置所で、暗殺された息子の遺体に覆い被さって泣く父親の話などが含まれていた。

しかし、そこに彼らの感情はほとんど表れず、事実だけが淡々と語られた。のちに、ある参加者が自分の感情を抑える必要性について話し始めたことをきっかけとして、彼らが心を開いて対話を行う道が開かれた。

『『こんなことを話すときには私たちは自分の感情をどこかに押しのけ、後ろの方にすっかり追いやらなければならないんだ。もし、感情の中に長く居座っていると、自分がこなごなに砕けてしまうからさ』（略）『みんな心の中に降ろす鋼鉄のシャッターを持っているんだ。頭の中に降ろすシャッターでもある。私の中にはこの鋼鉄のシャッターがあるのがわかる。本当の自分はこのシャッターの向こう側に隠れているんだ』…」

鋼鉄のシャッターというのはおそらく、精神分析における防衛機制の「抑圧」にあたる。私たちは、自我の安定を脅かす観念や衝動（たとえば不安）を、意識から閉め出して無意識へと追いやる。これは社会で生きていくうえで不可欠なものだが、それに頼り過ぎると、人生の楽しみを味わうことができなくなってしまう。

本書を読む以前は、鋼鉄のシャッターとはベルリンの壁のような、北アイルランドを物理的に隔てるシャッターだと思っていた。しかし、本書で実際に描かれていたのはもっと繊細なシャッターだった。

個人的な意見だが、エンカウンター・グループはメンバー内で共通のテーマがみつかるとセッションが促進されるように思う。自分が以前参加したときは「機が熟すのを待つ」ことと、「世代間継承」がテーマで、それが発見された際に議論が白熱した。

ここからメンバー間の感情的な交流が盛んになり、プロテスタント者がカトリック者に理解を示す場面も見られるなど、エンカウンター・グループはうまくいったかのように思われた。しかし、その後の経過をたどってみると、必ずしもそうとは言えない状況が著者を待っていた。何人かのメンバーは二つの宗派の相互理解と和解に向けて精力的に活動するようになったが、一部の者は敵対者に共感を示したことで仲間から非難されることをおそれ、グループでの出来事を後悔していた。当時出来上がったばかりの映画は限られた条件下で上映されていたが、視聴者には参加者の名前と顔がわかるようになっていたからだ。

カール・ロジャーズが冒頭で述べている様に、「激しい敵意とか葛藤を解決するためには、たとえ小規模でも、危険をのりこえてゆく勇気が必要」なのだろう。このように生死に関わるほど相互に憎しみ合っている人たちが心を開いて語ることができたのに、それと比べて非常に平和な時代を生きている私たちがどうして分かり合えないのか、と考えさせられる。単にグループの事例の1つとして役立つだけでなく、グループや人間の可能性を読者に伝え、私たちを取り巻く憎悪や偏見に切り込んでいく勇気を与える書籍であると思う。（畠瀬稔・東口千津子訳）

編集者より

本書に関連して参考になりそうなのは、小社から刊行された『カウンセリングの実技がわかる本』。その中で著者の山本次郎氏（故人）が述べたことを要約すると大略次のようになります。まず、ロジャーズが取り組んだ国際問題で結果が良かったのは北アイルランド和平、中央アメリカ和平、南アフリカ共和国の人種問題の解決。彼は「仲介（調停）」によって国際平和に貢献したが、特にそのスケールの大きさと成功実績は特筆に値する。

（コスモス・ライブラリー代表 大野純一）

書評した本

『新装版　春の辞儀』

長嶋 有著

四六判・160頁・1500円
書肆侃侃房
978-4-86385-363-8

書評した人

郡司 和斗
ぐんじ かずと

二松學舍大学国際政治経済学部国際政治経済学科３年

趣味は詩歌です。このたび短歌研究新人賞を受賞しました。『短歌研究９月号』（2019年）に30首載っています。本屋さんで手にとってみてください。

世界のバグのようなものを見つけてしまう瞬間がある。「交差点に落ちてある片方だけの靴下」「ブラウン管をまだ使っている安宿」「話す前に鼻をつまむ癖のある友達」。だが、それらは言葉にされることなく、大概は次の瞬間に忘れられてしまう。

長嶋有は誰もが通り過ぎてしまうそれらの瞬間に「よく気づく」作家である。その能力は、彼の小説の描写からも明らかであるが、彼の俳句においてもっとも輝きを放つ。

見られれば歌うのやめる寒の明け

寒さのピークも過ぎた頃合いに歌を口ずさみながら散歩でもしているのだろうか。そのとき、ふと誰かに歌っているところを見られた。少し恥ずかしくなって歌うのをやめる。見られなくなったら、また歌い出すのかもしれない。あるある、と思わず唸ってしまう。

目指せばもう始まっている花火かな
県境に立ちたがる人夏帽子
手押しポンプの影かっこいい夏休み

三句とも視線のズレが巧みである。

一句目、花火大会の一場面だろう。花火が打ち上がり始めて、誰もが急いでいる瞬間に主体は一度気持ちを立ち止まらせてみせる。花火そのものを描かずとも、「目指せばもう始まっている」というフレーズだけで、遠くの花火の音や色とりどりの光、火薬の匂いが想起される。

二句目、確かに、こういう人はたまにいる。痒いところを捉えていると思う。この句の眼目は「立ちたがる」にある。「立つ」というただの状態ではなく、「立ちたがる」という願望であることによって、対象（立ちたがる人）の一種の子供っぽさ、プリミティブな感触を読者に手渡してくれる。季語の「夏帽子」も効いており、「立ちたがる人」は、帽子を深くかぶった少年少女を想像させてくれる。

三句目、手押しポンプの影がかっこいいのだという。仰天の発想である。それでも妙に納得させられてしまうのは、手押しポンプのゴツゴツとした独特な形によるものだろう。地面に伸びるその影は、剣闘士の兜のようにも見えるし、怪獣のようにも見える。なるほど、男の子感のある素朴な「かっこいい」という感慨がぴったりだ。

本句集には空想的な一連もある。

昼の忍者桜をみたら眠くなる
はりつけば壁涼しくて眠くなる
初夏の回転ドアはわりとすき

連作「忍者の昼」から。おそらく、自分自身が忍者になりかわって句を作っている。それにしてもどこか間抜けな忍者である。春の陽気に桜をみながら眠くなる様は、とてもスパイや暗殺を仕事にしているとは思えない。また、壁やドアを気にしているところも滑稽味がある。はりついた壁が偶然にもひんやりとしていて、気持ちがよかったのか。「寝ている場合か！」とツッコミを入れたくなる。回転ドアが好きなところも、随分と現代的な忍者でおもしろい。

『春のお辞儀』から初めて俳句を読む人もいるだろう。そういう意味では、口語俳句が多くてとっつきやすい句集である。しかし、それは内容が薄いということでない。たった十七音の中にも、小説や映画に負けないくらいの世界がある。長嶋有というレンズを通して世界をみた後は、今度は自分のレンズを通して、きっと今までスルーしていた瞬間に気づくようになる。

書評した本　　書評した人

『日々の泡』

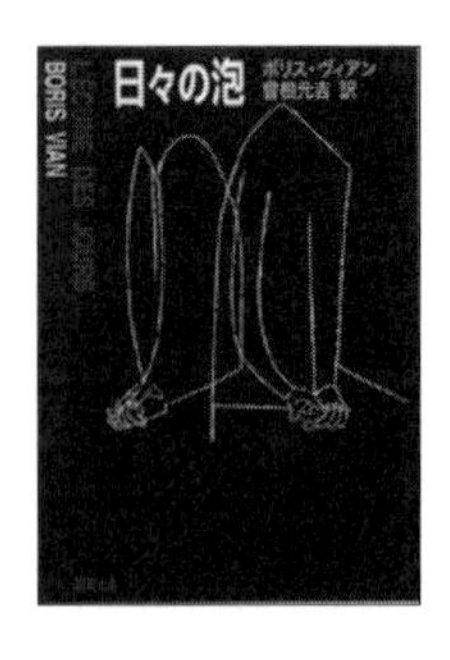

ボリス・ヴィアン著

文庫判・304頁・590円
新潮社
978-4-10-214811-2

髙橋 舞帆
たかはし まいほ

上智大学文学部
新聞学科３年

西洋美術の中では特に「世紀末美術」を愛しています。アール・ヌーヴォー／アール・デコ建築に住みたいです。日々考えていることをコラージュ的にまとめたzineを作っています。

もう昨日の繰り返しのような退屈な日々には飽き飽きだ。私たちには、心を空想にすっかり浸し、やさしく泡立たせるような愛の物語が必要である。

フランスはパリ、物質的にも文化的にも豊かな主人公の青年コランはデューク・エリントンの曲と同じ名前の女性クロエと出会い柔らかな愛に包まれ、結婚に至る。働かなくても不自由なく暮らせるだけの資産を持っていたコランは、労働とは程遠いところで恋人や仲の良い友人と遊びながら洒落た暮らしを楽しんでいた。しかし、彼らの運命はクロエが肺に患った「睡蓮」によって、少しずつ狂っていく。数奇で残酷な愛の物語である。

本書で特徴的なのは物語に気の利いたスパイスのように散りばめられた、美しく／絶望的な表現の数々である。例えばコランが発明した「カクテルピアノ」はピアノを弾くと、そのメロディー、和音やスピードに対応して、ピアノと連動した装置が稼働しオリジナルカクテルが出来上がる。このように非日常的で奇妙な創作単語に、醒めきっていたハートは一瞬で恋に落ちる。

これらの単語には物語の状況も反映されている。ストーリーがグラデーションのように、カラフルからモノクロに色を変えていくと、表現の色彩も違ってくる。前半は「カクテルピアノ」に加え、二人を包み込む暖かくシナモン入りの砂糖の匂いがする薔薇色の雲や、ボタンで窓ガラスの色を変えることが出来てまるで虹の中にいるような感じになる車など、ふんわりとした甘い香りに満ちている。物語終盤では対照的に、黒焦げになった生体の嫌な臭気や、黒い炎と沸騰する血液、黒ずんだ褐色の顔色など、文字は終始グツグツと煮えたぎっており、重苦しい匂いが漂ってくるようだ。

しかしながら本書の魅力はこのような表現だけにとどまらない。恋愛小説として読み進めていくと、物語の本質は「労働」であることに気づく。ロマンティックな世界観の中に、現実社会への鋭い指摘を見つけることができるのだ。例えばクロエは、労働する人々についてこのように発言している。「醜悪である／機械でやれるような労働はばからしい」。労働が正しく、美しいと信じ込ませている社会へ、著者なりの批判のエッセンスが含まれていると受け取ることができる。このクロエの発言は、結婚式を終えた直後のもので、コランはこの時点では労働をしなくても生活に困らない状況であったが、クロエが睡蓮を患って後の高額の治療費や、友人シックへの貸し金によって、コランは労働を余儀なくされ、文化的な豊かさが徐々に失われていく。

うっとりとさせる夢の様な光景が繰り広げられながらも、それを蝕む「現実」、「労働」からは逃れられないことを突きつけられる、そんな作品だ。（曾根元吉訳）

編集者より

コランとクロエの夢の様な恋愛と、ヴィアン独特の柔らかな文章に髙橋さんが夢中になられたことがよく伝わりました。ご指摘の通り、本書では「労働」が恋愛や音楽とは対極の、充実した生活を脅かす存在として描かれています。近年の日本でもパワハラや過労死など働くことに対しては負の側面ばかりが目立ちますが、生活様式の変化に伴い、ようやくコランも許容できる働き方が叶う時代へと移りつつあるのかもしれません。

（新潮社 文庫編集部 眞板響子）

週刊読書人 2019 年 10 月 4 日号掲載

書評した本

『脂肪のかたまり』

モーパッサン著

文庫判・112 頁・460 円
岩波書店
978-4-00-325501-8

書評した人

高橋 実里
たかはし みさと

日本大学藝術学部
文芸学科４年

詩と小説を書いています。

ブール・ド・シュイフをのせた馬車が、私の眼の奥で走りつづけている。本を閉じた後でもはっきりと浮かぶのは、彼女が流した涙のことだ。

ブール・ド・シュイフはフランス語で「脂肪のかたまり」を意味し、作中では一人の娼婦のあだ名として用いられる。それはそのまま小説の題となり、モーパッサンが三〇歳の頃に書きあげた代表作として、よく知られている。一八七〇年の普仏戦争を背景に、プロシャ軍に侵入された町、ルアンの描写から小説は始まる。

冒頭、敗れた兵と占領する兵が入れ替わるように現れることで、私たちの関心は戦争から町の暮らしへ移ってゆく。戦争から町、町から市民という順で人間をクローズアップしたモーパッサンの意識の流れは、ある〈火曜日の夜明け前〉に読み手を導こうとしている。そして出発を待つ四頭立ての乗合馬車が、目のまえにありありと浮かびあがる。

本書は馬車で始まり馬車でおわっている。物語の始めとおわりを象徴する閉ざされた空間に、人間の醜さと純真さがあぶり出される様をみると、ただの乗り物として片づけられなくなる。なかでもルアンを発って空が白むまでの時間が、登場人物の心のゆれ動きを巧みに表している。初め乗客の身分や思想は、暗闇の中で明かされていない。人は見かけに左右される、という言葉通りに、見えなければ限られた時間、誰でもない誰かになることができる。特に行きの暗い馬車内では、視覚に訴える情報がないため、社会的関係がその瞬間だけ無であるといっていい。けれど朝の光がさしこむことで、乗客は互いの価値を推し量りはじめ、ブール・ド・シュイフだけ受け入れてもらえなくなった。

娼婦だから、といえばそうである。しかし身分の違いを痛感しているのは彼女自身であり、だからこそ読み進めるうちに彼女がゆいいつ澄みきった存在であることに気づく。作者が、登場人物と一定の距離をとりながら、冷たいくらい客観的に描写していなければ、人間の心の底は浮かびあがってこなかっただろう。現実社会にもいえることだが、三人以上集まることで私たちの関係はより流動的なものとなる。思惑が錯綜しあって、一筋縄ではいかない。降り積む雪で進みの遅い馬車の中、親切とはほど遠い人たちに囲まれながら、ブール・ド・シュイフは自分の食べ物を分け与えようとする。が、彼女が分けたのは本当に食べ物なのだろうか。若鶏の煮こごり漬け、雲雀のパテ、ブドウ酒の瓶は四つもあって、空腹を刺激する。食べ物はおいしそうに描かれており、誘惑にかられてしまってもおかしくない。牛の舌の燻製、それに野菜の酢漬けまであるのだ。食欲を満たすことと性欲は密に関係しあうため、ここで小説のゆく末が示されているように思う。彼女は娼婦としてでなく一人の人間として、憤りや口惜しさを内包した精神的犠牲を払うこととなる。乗客のため、自らの誇りを捨てる覚悟を決めた。

その乗客はみな「純粋」の一部を口にしたというのに、宿屋に足止めされたとたん自己中心的にふるまう。読み手である私たちは、知らないうちに彼らを悲しい眼で眺めるかもしれない。国や他人を愛するかわりに自分をこよなく愛しているからだ。

屈辱的な最後を経験したブール・ド・シュイフ。けれども流した涙は、彼女を覆う汚れまで洗いおとした。修道女たちの祈りと、コルニュデが執拗に口笛で吹く「ラ・マルセイエーズ」の歌が、訪れた闇夜のなかでいっそう際立つ。見えないときでも身分や思想が消し去られることのないよう、綿密に描かれている。彼女は謂れない軽蔑の眼差しにさらされ続けたが、真っ暗になることで一時的に救われたのかもしれない。本を閉じた後、私の胸に刻まれたのは、悲しみの中で澄みわたってゆく彼女の姿だった。犠牲心を尊いと言いたくはない。彼女が最後まで、彼女自身を生きていたから忘れられない存在になったのだと思う。

「ラ・マルセイエーズ」の第六節は、〈愛国の聖なる心〉を持つ彼女の生を、乗客や読み手である私たちに刻みつけながら響いている。（高山鉄男訳）

編集者より

高橋実里さんの書評はこの作品を丁寧に読み込んで書かれており、とても読み応えがありました。十数年ぶりに『脂肪のかたまり』を読み返してみると、登場人物一人一人の個性がありありと目に浮かび、その描写力の確かさに改めて驚嘆させられました。創作を志す人たちには特に学ぶことの多い作品だと思います。モーパッサンには有名な「小説論」があります。それを読むと彼が何を考えながら小説を書いていたかがよくわかります。

（岩波書店 担当編集者 市こうた）

書評した本

『常設展示室』

原田 マハ著

四六判・191頁・1400円
新潮社
978-4-10-331754-8

書評した人

久米 めぐみ
くめ めぐみ

神戸松蔭女子学院大学
文学部総合文芸学科4年

イギリス美術、パイプオルガン、サイクリングに関心を持っています。

誰にでも、お気に入りの絵が1つはあるのではないだろうか。私はフレデリック・レイトンの『灼熱の6月』という作品が好きだ。手すり越しに夕日で金色に輝く海を背景に、夕焼けのようなオレンジ色のドレスを着た女性が眠っている作品だ。女性のドレスと後ろの夕方の海の色が呼応するようで、見ていてとても穏やかな気持ちになる。

本書の著者の原田マハは、ニューヨーク近代美術館をはじめ多くの美術館でキュレイターとしての勤務経験があり、『楽園のカンヴァス』『たゆたえども沈まず』といった、絵画をテーマにした小説を手掛け、アート小説の第一人者と呼ばれている。他にも『本日は、お日柄もよく』『総理の夫』など人間ドラマが主題の小説もある。

本書は、絵画と人間ドラマが組み合わさった全6話からなる短編集である。主人公は20代〜40代の女性たち。美術に携わる仕事をしている人も、絵画に無頓着な人もいる。しかし年齢も職業も違う女性たちが、それぞれ悩みを抱えて美術館を訪れ、そこで1枚の絵画に出会うことで、前向きになったり新しい発見があったりと、気持ちが変化していく共通点がある。

収録されている中で私が特に気に入っているのは「豪奢 Luxe」という話である。子どもの頃からアンリ・マティスの作品が好きだった下倉紗季は、大学時代にたまたま通りがかった現代アートのギャラリーに心を惹かれ足繁く通うようになる。そしてそのギャラリーの社長に気に入られ、紗季は入社が決まる。

入社から1年半たったある日、紗季は商談でＩＴ起業家の谷地哲郎と出会う。彼は、紗季が10億円をこえる作品を勧めるとあっさりと購入を決めた。その後、紗季と谷地は交際を始めるが、谷地は妻子がいながら気に入った女性を何人も囲い、紗季もそのうちの一人だった。谷地は一流ブランドの洋服やバッグなどをプレゼントすることで、愛情を目に見える豪奢な形として表現した。紗季は谷地の愛情に流され、ついに勤めていた会社を退職する。

私が特に共感したところは、紗季がパリの美術館でマティスの絵画と出会う場面である。

関係がこじれてしまった谷地から久々に連絡を受け、パリに行こうと誘われた紗季。しかし、パリのホテルに届いたのはドタキャンの連絡。紗季は一人、美術館へ行く。

そこで、マティスの「豪奢」を目にする。その絵には水辺の中心にヴィーナスが誕生し、寄り添うように2人の女性が祝福をしている光景が描かれている。「豪奢」という題名ではあるが、作品には贅沢さや派手なものは描かれていない。「この世でもっとも贅沢なこと。それは、豪華なものを身にまとうことではなく、それを脱ぎ捨てることだ」と、紗季は画家の真意を思う。

かつて私も、贅沢なことといえば一流のブランド品を身に着けたり、お金を持っていることだと思っていた。しかし、この一文に逆に豪華とは無縁であることが本当の幸せなのだと感じられた。豪華なものは人を幸せな気持ちにしたり、自分の財力を証明することができるが、それは一瞬に過ぎない。たとえ宝石をたくさん持っているからといって必ずしも幸福な気持ちが永久的に続くとは限らないからだ。そのような一瞬の幸せより、貧しくても、家族や友人といったお金では買えない愛情や信頼に恵まれているほうが人を幸せにしてくれるのではないかと思う。

この『常設展示室』には、アート小説を得意とする原田マハによる、詳細な絵画描写があり、まるで自分も美術館でその絵を鑑賞しているかのような気分になる。それぞれの話を読むたびに絵画を知ることができ、絵を知ることを通じて、新しい考えと出会うことができる。

すべて読み終わると、絵画の知識も身に付き、価値観も変えることができる。私もそうした読者のうちの一人である。

書評した本

『作家の人たち』

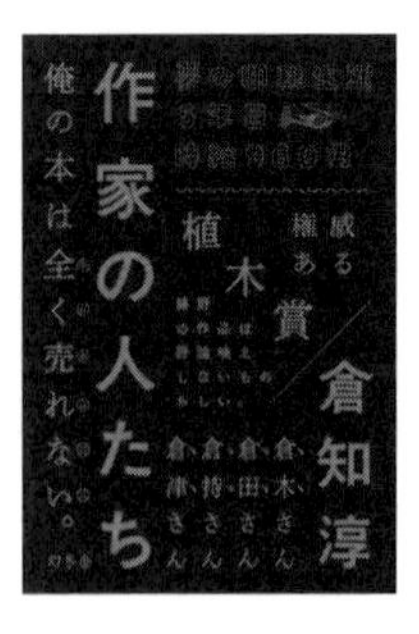

倉知 淳著

四六判・270頁・1500円
幻冬舎
978-4-344-03449-5

書評した人

栗原 咲紀
くりはら さき

共立女子大学
文芸学部1年

「合格サプリ」ライターや「ハナジョブ」学生記者などに挑戦中。ただし飽きやすいのが欠点で、現在は手帳でまめにスケジュール管理をすることで補っています。

本作は、七つの短編から成るフィクションである。もう一度、強く念を押させていただく。本作は、フィクションである。しかしその実、どの話も現在の紙媒体の衰退・本離れ・小説家の苦労をリアルに描いたように見える。無論私も、この本に出合う前から出版業界が明るいものだとは思っていなかった。が、それにしても、である（これが現実なら泣く）。

短編集なので結果的に登場人物は多くなるが、難読・珍名ぞろいの彼らの名前を覚える必要は恐らくない。何故なら、全員が本を売る人か、本を書く人かのどちらかに分けることが出来、それだけの認識で事足りるからだ。

七編の内容をごく簡単にお伝えすると、

第一編、某出版社の編集者たちが、売れない作家につきまとわれる「押し売り作家」

第二編、文学賞受賞をきっかけに小説家になった男の転落人生「夢の印税生活」

第三編、大型新人発掘を命じられた編集者の苦労話「持ち込み歓迎」

第四編、本の悪魔に願った些細な願いに翻弄される、編集者と作家「悪魔のささやき」

第五編、人でなし、けれどそれ故に優秀な編集者「らのべっ！」

第六編、てきとうな人間たちが、利己的に判断を下す「文学賞選考会」第七編、第二編の作家のその後「遺作」

作者の意図か、それとも出版界への恨みが滲み出ているのか、どの話も救いようがないバッドエンドで、あっけなく終わる。おまけに登場人物は皆愚かだったり、欲望に忠実だったり、とにかく他人を尊重するということを知らないように見える。作家や編集者を志望する人間が読んだら、顔をしかめて読書を中断するだろう。反面教師を狙ったにしても、著者は若者に微塵も夢を持たせる気はないらしい。寧ろ、嬉々としてその夢を壊そうと書いているようにさえ感じる。

実はその一人である私は、何回か読み始めたことを後悔しながら、何とか本書を読了した。可能なら、同士諸君には「これらは全てフィクションだ」と言って終わりたい。

ところが、登場する「売れない小説家」の名前の共通点に気付くとそう思えなくなる。苗字の一部に、もれなく全員「倉」の字が入っているのだ。

そして本書の著者の名前は、「倉知淳」。本書の拭いきれないリアルは、その「倉」から来ている。偶然のはずがない。ひょっとしたら、全編でなくともいくつかは、部分的には、著者の体験話や実際に聞いた話が混じっているのではないだろうか？　そう思ってしまったら、もう本書はフィクションではなくなる。

他人の心にトラウマ級の傷を残す本作を、魅力的と表現するのはそぐわないと思う。しかし、我々読者に多大な影響を及ぼす本というものの魔力を感じる一冊だと思う。また、極々僅かにではあるものの、著者からの「人生に慎重になれ」というメッセージを感じ取れるかもしれない。

最後にひとつ、本書を手に取ったらあとがきを見てほしい。私は未だ、このようなあとがきを見たことがない。是非、大人げない著者の悪魔的な遊び心を感じ取ってほしい。

著者より

この物語はフィクションです。などと本の最後に書いてあったとしても信用してはいけない。なぜならば、それは作家の言葉だからだ。作家は嘘をつく。空想と虚構を重ねた絵空事を描いてご覧いただくのが商売なのだから、生来の嘘つきなのだ。そんな作家の云うことなど、後書きだろうと信用ならない。ところで本書『作家の人たち』はもちろんフィクションである。作家の私が云うのだから確かだ。ええ、本当ですとも。うふふふふ。

（倉知 淳）

書評した本　書評した人

『私のカトリック少女時代』

メアリー・マッカーシー著

四六判・288 頁・2400 円
河出書房新社
978-4-309-325501-8

宮下 洋平
みやした ようへい

二松學舍大学文学部
中国文学科４年

作家の伝記を読んだり、文藝誌に載っているインタビューや座談会を読んだり、集めたりすることに関心を持っている。

マッカーシーは今の日本ではあまり人気がないようである。ゼミナールの友人に「何を読んでいるの？」と聞かれたので「メアリー・マッカーシー」と答えたら、皆「メアリー・マッカー氏」と勘違いしていた。ほかにもベストセラーであり、映画化もされた『グループ』は、小笠原豊樹による訳が一つあるだけで、すでに絶版になっている。

しかし、いい読者がいる。たとえば金井美恵子の小説『タマや』に「漂泊の魂」という一編がある。この本の講談社文庫の解説は武藤康史が書いている。彼によると金井がオマージュしたのは、マッカーシーの書いた小説『漂泊の魂』（深町真理子訳、角川文庫）であるそうだ。原題は『マクベス』五幕八場のマクベスのせりふ「おれの命はまじないつきだ」（福田恆存訳）に由来し、「一言で言えば不死身ということで、邦題名の『漂泊の魂』はこれを象徴的に解釈したものです」という深町の解説を、武藤は引用する。マッカーシーはほかにも、金井の『小説論』という講演録や『恋愛太平記』にも少しだけ登場する。

また池澤夏樹もマッカーシーの読者である。河出書房新社から刊行された、池澤個人編集の『世界文学全集Ⅱ－04』に「アメリカの鳥」が収録されている。そして『私のカトリック少女時代』について池澤は、解説で次のように書く。「数年かけて一章また一章と書いたものをまとめる時に作者自身が弁明を試み、疑念を呈し、いわば混ぜっ返しながら話を進める。その意味ではこれは『反自伝』である」と。池澤は『古事記』を訳したときのインタビューで物語の原型はゴシップ、と述べつつ、日本の身辺雑記を否定している。だからこのように書いているのだろう。

読んで思ったのは、マッカーシーは正直な人だ、ということである。事実をなるべく曲げずに書こうとしている。この本は雑誌に発表されたものをただまとめたというわけではなく、場所や時間、人物などについて注釈をつけているのだが、その目は家族だけではなく、自分にも厳しい。「5　名前」の注釈ではクラスメートや私自身をあまり感じが良くない人間として描き出すことに、かなりの力点が置かれている、とまで書いているほど。またマッカーシーはテレビ番組でリリアン・ヘルマンについて語り、それが原因で本人に訴えられたこともある。しかし「謝罪すれば自分の発言が嘘だったことになる」として引かなかった。

マッカーシーは面白い小説には、スキャンダルが必要、といったことを述べている。一見「正直さ」と「スキャンダル好き」は相反するもののようだが、私はそうは思わない。実際に起きたスキャンダルを、嘘を交えずにただ事実の通りに正直に書く、ということをマッカーシーはした。マッカーシーの小説を読むと、事実の力強さというものを感じる。（若島正訳）

編集者より

作品の、そして著者自身の一番の魅力を的確に捉えてくださってうれしいです。このシリーズの選者とも言える須賀敦子が愛したナタリア・ギンズブルグも、自伝的作品の序で「つくりごとは何一つ、この作品に入れなかった」と述べ、ただし「小説として読んでいただいていい」と言っています。文学における虚実について独自の視点をもつマッカーシーの姿勢はナタリアや須賀にも通じ、興味が尽きません。他の作品も復刊されますことを！

（河出書房新社 編集部 木村由美子）

書評した本

『朽ちていった命 被曝治療83日間の記録』

NHK「東海村臨界事故」取材班著

文庫判・224頁・490円
新潮社
978-4-10-129551-0

書評した人

梅里 菜の花
うめさと なのか

東京家政学院大学現代生活学部健康栄養学科4年

スーパーマーケット巡りが大好きです。定期圏内の激安スーパーを巡っています。休日に朝市や特売日、ポイントアップセールが重なれば参戦していますし、学校帰りや時には学校へ行く前に寄ることも…。

本書は一九九九年九月三〇日、東海村で発生した臨界事故で二十シーベルト（通常人が一年間に浴びる量の二十万倍）の放射線を浴びた大内氏と、その治療に当たった医師、看護婦らの八十三日に及ぶ闘いを描いている。被曝治療はそれまで世界にも例がなかった。治療マニュアルもなければ、今後どのような症状が出て身体がどうなっていくのかも分からない。ただ大内氏の浴びた放射線の量が、致死量であることは確かだった。つまりそもそも致死量の放射線を浴びた大内氏が生きていたことが、予想外であったのかもしれない。「海図のない航海」、そう表現された被曝治療。その闘いは想像を絶するものだった。

被曝直後に採取された大内氏の染色体はばらばらに砕け散っていた。染色体はすべての細胞の設計図だ。大内氏はその設計図を失ってしまったのだ。そこで医師は大内氏の妹の幹細胞を移植した。だがすぐに異常が見つかった。この原因には様々な意見があったが、放射線による影響という考え方もあった。もしそうであれば放射線は新しく入ってきた妹の細胞まで破壊したということになる。

被曝直後は話すこともでき、放射線を多く浴びたと思われる右手も赤く腫れているだけだった。だが二十六日目には、一切の皮膚が失われるという痛々しい姿に変わっていた。これが染色体を破壊されたことによる恐ろしい影響だ。日々新しい細胞に生まれ変わる皮膚を作ることができないのだ。皮膚だけでなく腸の粘膜も新しく生まれ変わる。大内氏は腸の粘膜も失われていった。

看護婦らははがれた皮膚の代わりに毎日、十人がかりで二、三時間かけて、体を守るためのガーゼを貼り換えた。また腸の粘膜が失われたことにより下痢が止まらず、大量の水分が失われていく体に水分を入れ続けた…。それは良くなるための治療ではなく、目の前の症状への対処にしかならなかった。医師も看護婦もいつまでこの治療を続けていくのか、これは大内氏のためになっているのか、そう自分自身に問いかけ続けていた。これらの治療が正解だったのかは誰にもわからない。だが大内氏が亡くなった後の解剖で、全身のあらゆる細胞が失われていた中で、心筋だけはきれいに残っていたという。理由は分からない。ただ大内氏の生きたいという気持ちの表れだったのかもしれない。

何が最善か答えのない被曝治療と、何をすべきか悩む私の人生。私の人生はこの被曝治療に比べるとちっぽけなことかもしれない。だが私は本書を読み、これらを重ね合わせ、人生を考えていた。何をすべきか、何が起こるか、今やっていることが正しいのか分からないのが人生。ある意味人生は「海図のない航海」だ、と。命があり生きていける。そのときできることをやっていくしかない。それでいい、そう思った。

本書を読み、何を考えるか。放射線の恐怖、命、人生…。初めは恐怖しかなかった。だが何度も読むうちに「人」に目がいくようになった。きっと本書を読むことで、普段考えることのできない何かを考えることができると思う。

編集者より

化石燃料は大量の二酸化炭素を生む上に数十年で枯渇する。原子力は事故さえなければ、クリーンで廉価なエネルギーだが、制御に失敗すれば、放射能が生き物を襲う。原発問題は、経済効率と危険性とで決着をみない議論が続いてきたが、遂に事故が起きてしまった。治療という尊い戦いが克明に描かれた本書は、3.11のリスクをも予言していたようにもみえる。梅里さんの明日につなげていく読み方は、本当に素晴らしい。見習わねばならない。

（新潮社 文庫編集部 佐々木勉）

書評した本

『サブマリン』

伊坂 幸太郎著

文庫判・352頁・660円
講談社
978-4-06-514595-1

書評した人

中西 和也
なかにし かずや

日本大学法学部
公共政策学科1年

古今東西の様々なボードゲームで遊んでいます。最近はドイツ製のものに興味を持ち、自分で買おうか検討中です。

最近、交通事故のニュースを多く見る。高齢者の運転事故を皮切りに、世間が事故に敏感になっているのだろう。今まではあまり取り上げられなかった地方の交通事故もメディアは大々的に報道するようになった。小説『サブマリン』にもまた、交通事故を起こした少年が登場する。

家裁調査官の武藤は無免許運転の事故を起こし、人を撥ねて殺してしまった少年、棚岡佑真の担当調査官になる。武藤の上司で、「変人」の陣内と共に調査を進めていくなかで、棚岡は過去に両親と友達を自動車事故で亡くしていたことが分かる。

作中には、棚岡の起こした事故を知った女性が「人を撥ねちゃったんだから、自分も撥ねられればいいのに」「どうせ社会を舐めてるんだから、そういう若者は人を撥ねたところで、困ったな、くらいしか思っていないんじゃないの？」と言う場面がある。私には、彼女の言葉は大衆心理の現れのように思える。ニュースで知った断片的な情報から、被害者に同情し、加害者に憤りを覚えることはある種の正義と言えるかもしれない。しかし、被害者を善とし、加害者を悪とする対立構造は果たして正しいのだろうか？

　ある時、武藤は過去に棚岡の友達を轢いた若林という男に出会う。若林は棚岡と同じ十九歳の時に交通事故を起こし、陣内は当時、若林の担当調査官であった。武藤は小学生を轢いた若林が、大人しい普通の青年だったことに戸惑いを覚える。陣内は「おまえはどうせ、涎を垂らしながらアクセルを踏みまくって小学生を撥ねて殺した、人喰いタンクローリーのお化けみたいなのを想像していたんだろうが」と言う（陣内の物言いは一種独特である）。加害者名が公にされない少年事件の場合、想像に尾鰭がつくことは考えられる。では、若林は残虐な化け物と言えるのか？　幼い頃に母が失踪し、酒癖の悪い父親の元で育った若林の家庭環境は決して良いものとは言えないだろう。彼は人の命を奪った加害者である。だが、加害者を絶対悪であるとするのはいささか早計と思う。私達がすべきことは犯人を吊し上げることではなく、悲劇を繰り返さないために事故を教訓として生かすことではないだろうか？

　インターネットやSNSが発達し、誰もが気軽に情報を発信することができる時代になった。それは、同時に嘘や悪意も簡単に拡散されてしまうということだ。武藤は棚岡の調査とは別に、保護観察処分中の少年、小山田俊と面談を行う。小山田はネット上で過去に脅迫文を送った犯人を脅迫して捕まったのだが、彼の行いが是か非かを考えたい。悪人を懲らしめるために法を犯すことは、正当化されうることなのか？　心がけは立派かもしれないが、感情論が許されれば秩序は保たれないだろう。

　私達は社会に出ていく中で理不尽な出来事に遭遇するであろう。棚岡と若林も理不尽と闘わなければならなかった。罪を背負った二人の生きる道は険しいかもしれないが、彼らはもう前に進む希望を見つけられたはずだ。

週刊読書人 2019年11月15日号掲載

書評した本

書評した人

『死んでしまう系のぼくらに』

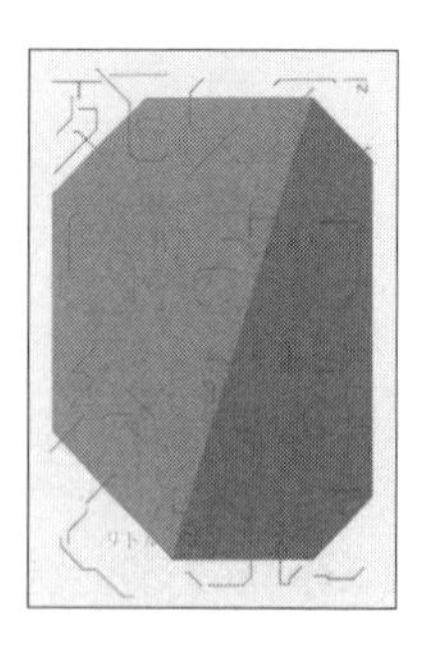

最果 タヒ著

四六判・100頁・1200円
リトルモア
978-4-89815-389-5

山下 帆乃香
やました ほのか

上智大学法学部
法律学科3年

最近関心を持っていることは、今春からゼミに所属し、勉強している「法哲学」。グループディスカッションをするのがたのしいです。

たとえば、私が、あなたが、「キスは愛情を表現する方法のひとつである」ことを知らなかったとして、私達はそれでも相手の唇を、自分の唇で塞ぎたいと思うだろうか。

世界には、自分と他人が分かり合えたつもりになるためのテンプレートが溢れている。私達は感情を様々なテンプレートに載せて表現することで、相手に気持ちを伝えられている、あるいは相手の感情を理解している、と思おうとしている。悲しい時には泣き、嬉しい時には笑う。愛しているなら抱きしめ、キスをし、セックスを行なう。そもそも、悲しい、嬉しい、愛しているといった言葉自体が、情報を円滑に伝達するために使われる、テンプレートだと言ってもいい。

しかし、私の「悲しい」とあなたの「悲しい」が、同じであるはずがない。私とあなたは違う人間なのだから当然だ。私が悲しいと感じた時の、脊椎の爛れる心地や、目眩に似た脱力感や、鼻の奥でじんと広がる失望の匂いを、あなたが本当の意味で、分かることなどできない。同時に、私もあなたが流す涙の温度や、歯ぎしりの音色を、一生知らないままで生きていくのかもしれない。言葉とは、私達の感情からそんな「分かり合えない」部分を削り落とし、綺麗で簡潔な形に直して、それを相手の元に届けるものだ。けれども、真に大切なのは、たとえば、「悲しい」という3文字に収まらなかった部分なのではないか。そうであれば、人と人は決して、分かり合うことなどできない。それなのに、言葉にすれば同じ「悲しい」だからと、分かり合えたことにされてしまう。そういう言葉の暴力性に打ちのめされながら、私達は生きている。

詩集『死んでしまう系のぼくらに』に収められた言葉は、そのような暴力性の根源にある「分かりやすさ」を脱ぎ捨てて、そこに存在している。人々の中にある感情を、まるでデッサンをするように、最果タヒは言葉にした。白い紙の中から聞こえる、彼女の文字列の静かな呼吸は、今まで言葉の網で掬われなかったあらゆる感情を、決して否定しない。

「言葉が想像以上に自由で、そして不自由なひとのためにあることを、伝えたかった。私の言葉なんて、知らなくていいから、あなたの言葉があなたの中にあることを、知ってほしかった（あとがきより）」

私達の世界には言葉に失望している人が沢山いる、と感じる。彼らは、まるで「言葉なんて無意味だ」と声高に叫ぶように、極端に大きくて曖昧な言葉、たとえば「スゴい」「エモい」「カワイイ」といった一言で、自分らの感情を片付けようとする。言葉の代わりに、声音や視線といった肌感覚で感情の共有を図っているのかもしれない。まるで動物の鳴き声みたいだ、と思う。そういう、言葉に期待することをやめた人々にこそ届くのが、最果タヒの言葉なのだ。

言葉はいつもあまりに乱暴に、私達を区切る。けれど決してそれだけではないと、彼女の詩は思い出させてくれる。誰にも伝えられないままで死んでいったあなたの感情を、最果タヒだけは諦めなかった。言葉にし、そうしてこの詩集をつくった。あなたはもう、あなたの感情を取捨選択しなくていい。この1冊には、そんな力強い希望が満ち満ちている。

書評した本

『差別されてる自覚はあるか
横田弘と青い芝の会「行動綱領」』

荒井 裕樹著

四六判・304頁・2200円
現代書館
978-4-7684-3552-6

書評した人

初芝 里帆
はつしば りほ

二松學舍大学文学部
国文科3年

ゼミナールで障害者文学論を学び、齋藤陽道著『声めぐり』の書評作成と著者本人へのプレゼン準備に取り組んでいる。

教職を取っている。介護実習に行くに際して障害についての理解を深めようと思い、手に取ったのが本書だ。

著者は障害者文化論の研究者である。脳性マヒ団体「青い芝の会」の中心人物で、伝説の運動家である横田弘さんの元へ通い続け、取材を基に本書を書いた。本書は障害者運動を牽引した横田弘さんの人生と「青い芝の会」の行動綱領を中心に、その思想哲学を記す重厚な評伝というべき一冊だ。障害者運動にかなり踏み込んだ重い内容だが読み易い。語り口調で書かれていることや、障害者運動を考えるうえでヒントになる寄り道が多く、読んでいるとき著者と川沿いを散歩しながら会話しているような気分だった。

もともと養護学校の卒業生が集う親睦団体だった「青い芝の会」が障害者運動を始める契機は、介護を苦に我が子を殺した一九七〇年の「脳性マヒ児殺害事件」にある。今では信じられないが、当時はこの種の事件が起きる度に「殺された児童もあのまま生きていても可哀相だった。むしろ母親に殺されて幸せだったはずだ」と社会全体が加害者に同情するような風潮に包まれた。事件後、周辺住民が始めた減刑嘆願運動に対し青い芝の会は「減刑されては障害者の人間的尊厳や生存権が認められないことになる」として横浜地裁、横浜地検に意見書を提出した。母親に向けられた安易な同情、その背後にある偽善的な福祉や健全者思想を横田さんは決して許さなかった。「障害者は不幸」という価値観そのものを変えようと、青い芝の会の機関紙に掲載されたのが本書のテーマである「青い芝の会　行動綱領　われらかく行動する」（以下「行動綱領」）だ。

「行動綱領」の第一項にはこうある。

一、われらは自らがCP者である事を自覚する。
われらは、現代社会にあって「本来あってはならない存在」とされつつある自らの位置を認識し、そこに一切の運動の原点をおかなければならないと信じ、且、行動する。

健全者が作った既存の社会体制の中に、新たに障害者を位置づけるため行う運動の活動主体は、障害者本人でなければならない。運動の原点は専ら「差別される側の自覚」に置かれた。第一項に見られる「青い芝の会」の屈強な主張は、今もなお現代社会に問題提起し続けている。

介護実習はとても楽しかった。確かに利用者の多くはそれぞれ困難を抱えているが、そこでは障害者か健全者かはほとんど関係がなかった。実習前の私は「障害の勉強をしよう」という気持ちで頭が一杯で、「誰かに会いに行く」というよりは、「何かを見に行く」という感覚に近く、今となっては想像力が無かった自分が恥ずかしい。

これからの地域社会で生きるために、「想像力を持って、人と人が繋がること」が必要だ。著者が言うように「国家は…」「社会は…」と大きな主語で語るのではなく、私は私として語ろうと思う。

私は異なる人の多様な価値観や考え方に触れ、困ったことがあれば互いに支え合い、悲しいことがあれば一緒に分け合って、どうしようもない怒りを感じたときは、共に声を上げたい。

本書は旧優生保護法救済法が成立した、今日の障害者問題の視座を示す一冊だ。

編集者より

「差別される側」からの問いを、柔らかい感性でしっかり受け止めてくださり、とても嬉しく思います。「障害者は不幸を生むだけ」という言葉に共感すら示される世の中で、共に怒りの声をあげたいと表明できる人は、残念ながらそう多くありません。著者が筆で横田さんに関わり続けるように、初芝さんは異なる人と伴走できる先生になると信じています。当事者だけに叫ばせるのではなく、その隣にいる人が共鳴することで、社会は耕されていくのです。

（現代書館 編集部 向山夏奈）

書評した本　　書評した人

『大徳寺聚光院別院　襖絵大全』

千住 博著

Ａ６変・85 頁２巻・2500 円
求龍堂
978-4-7630-0208-2

池本 さやか
いけもと さやか

早稲田大学人間科学部

芸術・表象文化論ゼミ所属。自然由来の絵画材料とその技法を古来より継承している日本画、特に墨に心惹かれ、絵を描いています。

世界遺産、高野山金剛峯寺に新たな障壁画が奉納される。奉納に先駆けて一般公開されると知り美術館に足を運んだ。会場で私が最も目を奪われたのは、水煙を上げながら激しく落ちる瀧を描いた「瀧図」だった。頭上から水が大蛇のようにうねりながら轟々と落ちている。私はその水煙に確かに包まれているのに、瀧の音を捉えることは出来ない。空間を超越した所に存在する瀧は静かで神々しく、気づかぬうちに涙が溢れていた。絵と出会ってそのような反応をしたのは初めてだった。

作者の名は千住博、世界的に活躍する日本画家である。1995年、美術のオリンピックと称される現代美術の国際美術展覧会ベネツィア・ビエンナーレにおいて、東洋人で初めて名誉賞を受賞した。その時の受賞作「The Fall」と同じ手法で描かれた瀧が、本書にも収録されている。千住氏は画面上部から絵の具や墨を大量に流すことで水の流れを表現する。日常では注意を向けられることのない、物質が上から下へ落ちるという物理現象が、瀧の絵を成立させている。その造形の美しさは彼自身が驚愕し天啓と感じたほどだ。だが天啓とまで感じる瞬間へと至る制作過程は、見えない山の頂に向かい一歩一歩祈りながら登っていくように過酷であることが、本書から伝わってくる。二巻から成る本書には、彼がそのような過程を経て完成させた大徳寺聚光院の襖絵と、そこに辿り着くまでの道のりが収められている。作品に対する直接的な解説は一切なく、あるのは実際の作品と辻仁成氏による小説（第1巻）と、千住氏の姿と言葉が収められた写真集（第2巻）のみで、それらを手掛かりに読者は自らの人生と共鳴させながら、千住氏が歩んだ道のりに想いを馳せることになる。

小説「超越者」の舞台は襖絵の題材の一つである砂漠だ。主人公は「死は全ての生き物に与えられた最上級の幸福」だと信じる名もなき男で、理想の死を求めて砂漠にやってくる。暑さに汗が吹き出し、男が生を強く感じたその時、セスナ機の墜落事故によって瀕死状態となった女性パイロットと遭遇する。砂漠という虚無の中、男が女の死に際にしてやったささやかな行為によって、死を目前にした二つの生が輝きを放つ。

この小説の背景には千住氏のサハラ砂漠での実体験がある。訪れる前は荒涼とした死の世界だと思っていた砂漠で、流れる汗に生の喜びを感じ、遊牧民の男がひびだらけの器で差し出した一杯の茶に茶道の一期一会の本当の意味を知った。砂漠という非日常のなかで、作為のないものによって何気なく与えられた感動の中に、日常に潜む美を見たのだ。それはまさに茶道の聖地である大徳寺にふさわしい美だった。

本書を読み終えた後、美術館で瀧の絵の前に立った時に溢れた涙は、圧倒的に美しい絵を通して、千住氏の過酷な道のりと、その先にある日常に潜む美を、無意識のうちに見ていたからだと思った。「白い画面の中に、自分が描かなければならない絵が、埋もれてしまっている。それを、丁寧に灰を落としていくような作業で引っ張り出していく」と千住氏は言う。忙殺された日々のなかで進むべき方向を見失った時、目指す頂は見えないだけで、何気ない日常の中に既にあるのだと、信じさせてくれる一冊である。（小説＝辻仁成）

週刊読書人 2019年12月6日号掲載

書評した本

『独立記念日』

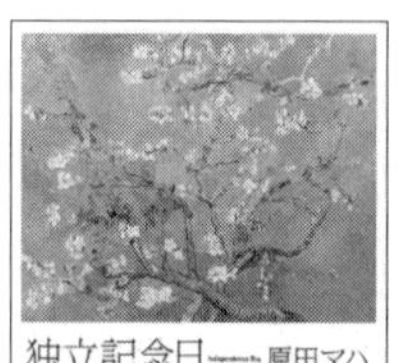

原田 マハ著

文庫判・364頁・762円
ＰＨＰ研究所
978-4-569-67913-6

書評した人

安藤 晶
あんどう あき

日本大学理工学部
物質応用化学科３年

理学全般、特に計算化学や量子力学に興味があります。大学図書館ボランティア（ＬＡ）で学生向けイベントや展示の企画運営をしています。

初めて読んだ原田マハさんの作品は、一昨年出版された『たゆたえども沈まず』だった。フィンセント・ファン・ゴッホの画家人生を、弟であるテオと、日本人美術商の林忠正と、その部下である加納重吉の視点から描いた作品で、その中に書かれている言葉はどれも簡潔ながら、フィンセントとテオの愛憎半ばする複雑な関係を分かりやすく描写していて、私の心を強く揺さぶった。

そんな著者が、「独立記念日」という喜びの日を綴った作品があるらしい。「今度はどんな言葉に出会えるのだろうか」。そんな期待から手にとったのが、本書を書評するに至ったきっかけである。

本書は24の短編小説から成るが、その最大の魅力は、物語毎に24人もの人物が、代わる代わる主人公として描かれているところにある。主人公となった女性達が、各々の悩みや後悔、思い出から独立していく様子が著者の静かながらも喜びに満ちた文体で描かれている。たとえば、

「それでも私、越えたいんですあの川を」

そう言って地元を飛び出ようとする主人公に、川向こうの物件を紹介した不動産屋の店員八木橋は、次の話の主人公だ。その話では八木橋の過去が明らかになると共に、亡くした家族への後悔の念を断ち切り、新たな一歩を踏みだす。こんな風に不思議な繋がりが連鎖して、いくつもの出会いや別れ、思いが交差していく。

このような脇役の中から新たな主人公が選ばれる連鎖の中でも、主人公にならずに終わった人物は当然いる。しかし、この物語の不思議な連鎖は全ての登場人物、そして読者もまた、その人生の中では唯一の主人公であることを教えてくれる。「第9篇 メッセンジャー」の中に次の一文が書かれている。

「だから、私の独立を記念して、あの人に花束を贈ります」

この女性は時間を掛けて自分の揺れる心と向き合い、文字通り過去の自分から独立した。彼女は物語の主人公にはならなかったが、彼女の人生の主人公として生きる決意をしたのだ。好きだった元夫の影を追って生きるのではなく、彼への思いを断ち切り自分の足だけで立つことを選んだ。

努力や苦労がわかりやすい形で報われないこともある。しかし、この女性のように時間の経過に背中を押され、悲しみと向き合い乗り越えられるかもしれない。今、苦しいことがあっても、その日々はいずれ私たちを作り上げる糧になるかもしれないと、少しだけ信じる気持ちになれる。

このオムニバスは感情移入しやすいだけでなく、読者が抱いている葛藤を本書の一物語のように思い描くことで、自分の弱さを受け入れ、独立する手助けをしてくれる。「独立記念日」とは自分に優しく出来た日、いつもより少しだけ未来に希望を持てた日なのかもしれない。

表紙はフィンセント・ファン・ゴッホの「花咲くアーモンドの木の枝」。アーモンドの花言葉のひとつに「希望」がある。見落としてしまいそうなほど小さい、しかし、私たちの日常の中に必ずある希望のカケラがこの本には詰まっている。何かに喜び、笑い、悲しみ、苦しみ、抗う全ての人々に読んでもらいたい。この物語の言葉はどれもあたたかく、私たちがうっかり忘れそうになる大事なことを思い出させてくれる。きっとこの物語はあなたの心を優しく包んでくれるだろう。これから本書を読む人にも、彼女達のような良い独立記念日が訪れることを願う。

編集者より

安藤さん、本書をお読みいただき、ありがとうございます。「今、苦しいことがあっても、その日々はいずれ私たちを作り上げる糧になるかもしれないと、少しだけ信じる気持ちになれる」と、本書が安藤さんにとって、前向きな日々を送る一助になれたことを、嬉しく思います。また文庫の表紙ですが、この絵、実は作者の原田マハさんが選定されました。原田さんの想いが、しっかり安藤さんにも伝わったようですね！

（PHP 研究所 第三制作部 文藝課
兼田 将成）

書評した本　　書評した人

『かたつむりがやってくる
たまちゃんのおつかい便』

森沢 明夫著

文庫判・496頁・778円
実業之日本社
978-4-408-55478-5

川上 磨輝
かわかみ まき

大妻女子大学人間関係学部
社会・臨床心理学専攻３年

最近犬を飼い始めたので、犬の散歩や一緒に遊んだりと健康的な生活を送っています（笑）。

この作品が生まれるきっかけは、著者が20代の頃に田舎で放浪していた体験と、数年前から気になっていた「買い物弱者」という社会問題であるという。あるとき、東真央さんという方が三重県の紀北町で「移動販売」を起業し、集落の買い物弱者を救っているというニュースを見て、本人に会いに行き、この題材を小説にしてみたら良いのではと思い執筆した。

主人公である「たまちゃん」こと葉山珠美はなんとなく大学に行き、ゆるく楽しく生活していたが、地に足をつけて生きている両親の背中を見て育ったため、どこかに、命の無駄使いをしているのではないかという不安があった。

そもそもたまちゃんが「おつかい便」を思い付くきっかけは、テレビ番組で「買い物弱者」という言葉を知ったことだ。ふるさとで暮らす祖母、大好きな静子ばあちゃんを過疎地の一人暮らしの老人と重ね、「このままではまずい、どうしたらいいんだろう」という焦りから、無謀ながら大学を中退し、起業を決めて、ふるさとに戻ることにする。

しかし大学の友人たちが催してくれたお別れパーティーで、おつかい便について話してみるのだが、期待するような前向きな答えは返って来ず、過疎地で起業するリスクや将来性などの現実的な意見に、自分の考えと行動が軽率だったのでは…とおののくたまちゃん。そんな時、静子ばあちゃんが電話口で言った、「人に期待する前に、まずは自分に期待すること。で、その期待に応えられるよう、自分なりに頑張ってみること。人にするのは期待じゃなくて、感謝だけでいいんだよ」という言葉が、気持を前に向わせてくれる。

おつかい便を、仕事として軌道に乗せていく厳しさも痛感させられる一方で、周りの人々の温かさに助けられていく。この物語で印象的なのは静子ばあちゃんだけではない。父の再婚相手である「義母」のシャーリーンというフィリピン人の女性だ。彼女は陽気で朗らかな人柄だが、日本で育ったたまちゃんにはどうも違和感があり、言いたい事も言えず仕舞い。小学生の頃にお母さんが事故で亡くなったこともあり、シャーリーンを「お母さん」とは思えない。たまちゃんとお母さんとお父さんは血が繋がっているけれど、シャーリーンは違うと。

話の終わりの方では、母が亡くなった本当の理由を知ってしまい、さらに大好きな静子ばあちゃんを失って喪失感に陥る。だが、たまちゃんとシャーリーンが、互いの本音をぶつけ合い、誤解が解かれ、少しずつ本当の家族になっていく。家族だからこそぶつかり合うことも大切であり、血の繋がりがあってもなくても互いの絆が深ければ家族は家族なのだ。

たまちゃんが帰ってくることによって色々な人達の人生の歯車が動き出している。自分自身、読んだ後、たまちゃんたちの頑張りや周りの人々の温かい触れ合いを感じ、日々のストレスや将来の不安で鬱々としていた自分の止まっていた歯車が少しずつ動き始めるようだった。本書は、そんな勇気をくれる一作である。

編集者より

森沢明夫さんの小説には、素敵な言葉があふれています。川上さんが取り上げてくれた「人にするのは期待じゃなくて、感謝だけでいいんだよ」というセリフもそう。心に不安や不満が溜まりやすい現在、本作を読むと、最後には心がほっこりして、前向きになれる。川上さんの「自分の止まっていた歯車が少しずつ動き始めるようだった」という感想は、担当編集にとって最高の贈り物。小さな勇気を与えてくれる一冊です。

（実業之日本社 担当編集者 阿部雅彦）

週刊読書人 2019年12月20日号掲載

書評した本

「荒 地」

T・S・エリオット著

文庫判・336頁・1000円
中央公論新社
978-4-12-206578-9

書評した人

齊藤 弘昭
さいとう ひろあき

専修大学商学部
会計学科４年

趣味は読書です。多少、本については知っているつもりですが、そのうちのほとんどを読んでいません。ただのハリボテです。「荒地」はちゃんと読んでいます。

高校三年生の夏、齊藤青年は唐突に訳詩への挑戦を決意した。

そこで彼が手に取ったのは、『筑摩世界文学大系71』に訳出されている「荒地」（深瀬基寛訳）だった。国語便覧を参考に読書の対象を選んでいた彼は、目に飛びこんできた〝T・S・エリオット〟〝荒地〟という文字に心惹かれたのだった。なんとなくかっこいい。

無知とは恐ろしいものである。

作者のT・S・エリオットは、古今東西の文学・言語に関する深い教養を基底に詩を紡ぐ、「知の巨人」と呼ぶべき詩人であり、しかも、その詩法を極限まで突き詰めたとされるのが、長詩「荒地」なのだ。アーサー王物語の「聖杯伝説」と、ジェームズ・フレイザーの『金枝篇』を下敷きとしながら、そこにダンテやボードレールなどからの引用をこれでもかと投入。加えて、断片的な台詞や擬音を何の前触れもなく挿入し、多層的に、荒廃した社会のイメージを創出しているというのだから手に負えない。さらにさらに、『筑摩世界文学大系』には、手助けしてくれる訳注もない。

そうとも知らず、意気揚々と読み始めた齊藤青年は、現実に直面する。

さっぱりわからない。

作中で何が起こっているのか理解できない。意味のわからない言葉を調べても一向に解読が進まない。むしろますますイメージが錯綜して摑みどころが無くなる。ずぶずぶと泥沼に嵌っていく感覚。気が付いたら首まで浸かってしまっていて自力では脱け出せない。

もうダメだ、そう思った瞬間、彼の首根っこを摑んで岸に引き上げようとする者があった。

ありがとう。君は？

僕の名前は、〈なんとなくかっこいい〉です。

かくして、齊藤青年はどうにか「荒地」を読了した。結局彼は、徹頭徹尾、〈なんとなくかっこいい〉にしがみついていただけで、ほとんど内容に立ち入ることはできなかった。しかし、何も得るものがなかったかといえばそうではない。わからないなりに、第二部後半で突如割り込んでくる〝時間です　どうぞ　お早くねがいます〟をはじめとする不穏な反復表現や、詩を取り巻くグルーミーな雰囲気、独白のごとき会話の虚ろな響きに心を動かされていた。彼は訳詩の魅力に目を開いたのだった。

それから四年の月日が流れたが、今でも時偶、詩集を開くらしい。相変わらず無知なので理解は全く進まないが、美しい表現を見つけては一喜一憂しているという。

詩、特に訳詩というと敷居が高いと思われがちだ。しかし、彼のように短絡的な理由で読み始めても、傑出した詩は必ず何かを返すだろう。難しそうだからという理由で敬遠してしまうのは些かもったいない。

だから、まだ訳詩の世界に出会っていない人には、こう言いたいと思う。

とにかくまずはフィーリングで一つ、読んでみてほしい。そうすれば、〈なんとなくかっこいい〉世界が待っているはずだから、と。

※現在、深瀬基寛訳は『荒地／文化の定義のための覚書』（中央公論新社）で読むことができる。

編集者より

深瀬基寛訳の「荒地」と出会ったことは幸運です。「荒地」にはこのほかに、西脇順三郎や吉田健一をはじめ、多くの翻訳があり、なかでも冒頭は「四月は残酷極まる月だ」という西脇訳によって広く知られているからです。深瀬訳では「四月はいちばん無情な月」。「残酷」か「無情」か。一つの言葉の選択、訳語の違いが、いかに全体のトーンを変えるか。読み比べて、初めてわかることが数多くあると思います。

（中央公論新社 太田和徳）

書評した本　書評した人

『本のエンドロール』

安藤 祐介著

四六判・386 頁 1650 円
講談社
978-4-06-220988-5

増田 優菜
ますだ ゆな

愛知学院大学文学部
日本文化学科４年

民俗学を専攻し、妖怪や幽霊について大真面目に研究中。実在の真偽よりも、なぜ伝承が残っているかを考えると、目に見えないものが見えてくるから面白い。

「エンドロール」という言葉を聞くと、映画を思い浮かべる人が多いだろう。映画を観ると最後にエンドロールが流れ、その作品に関わったキャストやスタッフの名前がズラッと並ぶ。本にもエンドロールがあることをご存じだろうか。ところで、本では「奥付」と呼ばれている。多くは書籍の最終ページにあり、タイトル・刊行年・著者・出版社・印刷会社・製本会社などの名前が並ぶ。しかし、映画とは違い、そこには本を作っている出版社や印刷会社、製本会社の人の名前が書かれることはない。本書は、そんな奥付に載らない裏方たちの物語である。

本を開くと、若者の読書離れや電子書籍の台頭を受け、「斜陽産業」「沈みかけた船」などと言われる印刷業界の中で、その船を沈ませない為に戦う人たちがいた。物語は、豊澄印刷株式会社の会社説明会で就職活動中の女子学生が「夢をお聞かせいただきたいのですが」と質問するところから始まる。営業第二部・トップセールスの仲井戸は「夢は、目の前の仕事を毎日、手違いなく終わらせることです」と答えた。一方、同じく営業第二部の浦本は「私の夢は……印刷がものづくりとして認められることです」「印刷会社は……豊澄印刷は、メーカーなんです」と答えた。印刷会社はあくまで印刷という作業工程を請け負う会社なのか、それとも、ものづくりをするメーカーなのか、考えながら読んでいくことになる。本書はフィクションであるが、著者の安藤氏の約3年間に渡る取材に基づいて書かれた本の制作過程や登場人物の心情にはリアリティがある。

本書には魅力的な登場人物が多いが、私は印刷製造部係長の野末正義から目が離せなかった。彼は仕事や親戚のことでイライラしていたこともあり、「パパが造った」と本を指さしながら無邪気に笑う息子に「俺は本を造ってなどいない」「俺の仕事は、この、紙に、決められた色のインキを、乗せて、ただ、印刷する、だけだ」と当てつけるように言ってしまう。そんな彼が営業部の浦本が持ってくる無理難題を同僚と共にどうにか解決し、浦本の仕事に対する情熱に触れるうちに少しずつ変わっていく。本書の終盤で息子に「パパたちが造った本だ」と誇らしそうに一冊の本を差し出すシーンは、なんだか嬉しくなった。

本は著者が原稿を書いただけでは私たちの元には届かない。編集者が出版の企画を立てて、デザイナーと相談して本の仕様が決まり、印刷会社や製本会社によって製品化される。多くの人の「仕事」によって一冊の本が完成する。そして、その一人一人に人生があり、大切な家族がいて、仕事に対する想いがあることに気づかせてくれる。

本を愛するすべての人に読んでほしい。今までよりさらに本を愛おしいと思えるからだ。本書の最後には、『本のエンドロール』の製作に関わった印刷会社や製本会社の方、三十五人の名前が書かれている。あくまで本書の製作に関わった方々の名前が並んでいるのだが、一冊の本ができるまでにどれだけの人が関わっているかの指標になる。この本を読み終わった後、あなたは今まで読んだ本、これから出会う本の奥付が気になってしまうに違いない。そして、どんな人がどんなこだわりと情熱と責任を持って送り出した本なのか、目を凝らしても見えることのないエンドロールに想いを馳せずにはいられなくなるだろう。

著者より

実はこの『本のエンドロール』というタイトル、悩み抜いた末、編集者さんが物語の本文から引っ張り出してくださり、「これだ！」と決まったものです。増田さんから素敵な書評を頂き、このタイトルに決めて良かったと確信できました。ありがとうございます。本はたくさんの方の手から手を伝って造られています。私も本造りの初期工程を担う作者として、そして終着点の書店で本を手にする読者として、本を愛し続けたいと思います。

（安藤 祐介）

書評した本　　書評した人

『魔 王』

伊坂 幸太郎著

文庫判・384 頁・640 円
講談社
978-4-06-276142-0

梶間谷 真奈
かじまや まな

武庫川女子大学文学部
日本語日本文学科２年

語感の良い、グッとくる言葉を日々探しています。また、悩んだり行き詰ったりするとよく名古屋へ行きます。そこに広がる景色や出会える人、聞こえる言葉すべてが新鮮に映り、大好きな場所です。

「考えすぎで死ぬなら、俺は百回くらい死んでるよな」

この言葉が今でも頭から離れない。たった一行の台詞だったが、これは私そのものだと思わずにはいられなかった。私の読書人生はここから始まったと言い切れる。

これは、物語の主軸となる人物安藤が、弟の潤也に「兄貴は相変わらず、無駄なことをたくさん、考える」と言われ、返した言葉である。私自身、「それは考えすぎだよ」と周囲の人間から呪文のごとく言われてきた。考えすぎで死ぬなら、私もきっといくつ命があっても足りない。仲間がここにいたのだと、少し安堵した。

タイトルの『魔王』は、シューベルトの楽曲「魔王」に因を持つ。楽曲の中で、子どもは迫り来る魔王の存在に怯え叫び、その存在を何度も父に訴えかけるが、結局、子どもは死んでしまう。

安藤は、その子どもそのものである。カリスマ的政治家犬養に誘導されていく国民に、一種の洪水のような流れに、彼ひとりが危惧し、恐れ、憂いていた。が、結局その声が届くことはなかった。犬養の街頭演説を目の前に、最期を迎えたのだ。彼は考えすぎで、死んでしまった。

本書には、安藤が主人公の「魔王」と、その五年後の世界を描く弟の潤也が主人公の「呼吸」の二篇が収録されている。「呼吸」では、野党の少数党だった犬養率いる未来党は、幾度かの選挙を経て政権を握り、犬養は首相に上り詰め、憲法改正の国民投票へ踏み切っている。ここまで書くと、なんだ政治小説かと敬遠する人がいるかもしれない。しかし、この物語の主題は「ファシズム」やら「憲法改正」ではない。そんな社会の一面的な話より、もっと人間の根源に近づいたものである。逆らえないような大きな流れに対し、自分の考えを信じ、戦うことができるか。たとえ流れを止められずとも、その中で大事なことを忘れずにいられるか。安藤兄弟の生き方そのものに、物語の核は存在する。

　ここでひとつ、印象的なシーンを紹介したい。国内の反米思想が高まり、アメリカ発祥のファストフード店が次々と放火に遭っていた。そして、安藤の家の近くに住むアメリカから日本に帰化した友人、アンダーソンの家までもが放火の被害に遭ったのだ。「あれは、アンダーソンの家で、アメリカじゃない」。安藤の悲痛な叫びも届くことはなく、そんな当たり前のことにも気づけなくなってしまった人たちがいた。あり得る。大いに現実にもあり得る。私は身震いした。「錯綜する大量の情報のどれが正しくて、どれが誤っているのか、俺たちは選択できているのか？」。いいや、彼らは自分で考えることをやめたのだ。

「知らぬ間に、大勢の人間が束ねられていくことはあるはずだ。有能な扇動者とは、その、本人たちが気づかないような流れを、潮を、雰囲気を作り出すのが巧みな者のことを言うのではないだろうか」「ムードとイメージ、世の中を動かすのは、それだ」と安藤は言う。周囲を取り巻く政治に纏わる思想の、何が正解で何が間違いか。それは誰かが決めるものではなく、明確な答えがあるわけでもない。しかし私たちは、自分で考えることをやめてしまったとき、魔王の手によって思いもよらないところへ着地してしまう。気づいたときにはもう、後戻りできないくらいに……。

　最後に注目してほしいのは、この小説が世に出たのは今から約十五年前だということだ。私には、ここに描かれている計り知れないほどの大きな流れやムードが、着々と作られている気がしてならない。

　魔王の足音が、聞こえる。

書評した本　書評した人

『断片的なものの社会学』

岸 政彦著

四六判・244頁・1560円
朝日出版社
978-4-255-00851-6

長坂 琴音
ながさか ことね

二松學舎大学文学部国文学科
映像演劇メディア専攻3年

映画や演劇などの表現について幅広く勉強しながら、ゼミナールでは近代文学研究を学ぶ。いつか漫画家・藤岡拓太郎の作品の、〝えも言われぬエモさ〟を分析したい。

我々の世代は、「ゆとり」「さとり」「つくし」などと称されるらしい。マニュアルから外れた臨機応変な対応ができない、何事もコスパ重視、情熱やハングリー精神がなく没個性的、と上の世代から批判される世代だ。残念ながらこれらは私にすべて当てはまっている。マニュアル通りにやればとりあえず上手くいくし、人間関係や恋愛に必死になるのは何だか無駄な気がする。周りに同調して、真面目に確実に生きるのが得策じゃないか。いくら上の世代から批判されようと、のらりくらり生きていければまあいいか、などと考えていた。

しかし、そんな私の考えは、『断片的なものの社会学』を読んだことで少し変わっていった。この本は「社会学」といっても決して難しい文章ではない。社会学者である著者からしても理論的な分析が不可能で、自らの解釈をすり抜ける、いわば「かけがえのない無意味な物語」を語っており、エピソードの一つ一つはエッセイのような、あるいはドキュメンタリー映画のような魅力がある。

本文の中に、一般人へのインタビューがそのまま文字に起こされている章がある。例えば、20年間大阪の路上でギターを弾き続ける80歳の男性へのインタビューでは、どういう経緯で今このような生活をしているのか聞き出しているのだが、男性の方言がきついうえに、ところどころ括弧で文章を補ってある部分もあり、かと思えば唐突に「通りすがりのおっちゃん」が男性の煙草を取っていったりする。創作の物語ではありえないラフさとオチのなさである。しかし何故かこれが面白いのだ。全く知らない一般人のインタビューがこれほどまでに魅力的なものだとは思いもしなかった。他にも、一般的に社会的マイノリティといわれる人々（例えば、同性愛者、在日外国人、障がい者、ホームレスなど）のエピソードが断片的に語られるのだが、そのどれもが、「幸せ」「不幸せ」とか、「良い」「悪い」というような二項対立的な考え方では処理しきれないエピソードばかりである。それを目にし、今まで私が普通だと思っていたこと、常識だと思っていたことが急に陳腐なものに感じられた。私の中の普通や常識は、所詮私の中だけのものなのだと痛感した。

著者があとがきで述べている通り、この本は「とらえどころもなく、はっきりとした答えもない、あやふやな本」である。この本に「きまり」や「損得」はない。そもそも他人や社会そのものは、かけがえのない無意味な断片が集まって形成されているのだから、そんなものにマニュアルなどあるはずもなかった。著者からポンっと投げられた断片的なエピソードによって自然と視野が広がっていく感覚は不思議だ。そして、他者を知ることは自分を知ることであると感じた。私には私の断片があり、それこそが個性である。そう気づけたからには、「ゆとり」「さとり」「つくし」世代を生きる、豊かで思慮深い若者になりたいものだ。

著者より

読んでくれてありがとう、うれしいです。とても真面目な、意識の高い学生さんだと思いました。この調子でたくさん面白い本を読んでいって、できれば「世の中の役に立たない」人間になってください。世の中や社会や国のためには役に立たないけど、身の回りの身近な人たちには優しくできるような、そういう人は、これからますます希少になっていくと思います。私もがんばって、これからも「役に立たない本」を書きます。

（岸 政彦）

書評した本

『海の向こうで戦争が始まる』

村上 龍著

文庫判・186頁・500円
講談社
978-4-06-131650-8

書評した人

徳永 良行
とくなが よしゆき

日本大学法学部
政治経済学科3年

比較政治学のゼミにて、政治を幅広く勉強しています。最近のマイブームは旅行で、大学卒業までに日本一周を目標にしています。

社会とは何であろうか。今、私たちが生きているこの世の中を分析するには、あまりに多くの視点が存在する。学問や文化、あるいは個人を基点として、現実を考察することはできる。では、夢はどうだろうか。常に不確かで不安定な世界。人間の意志を無視して、風に舞う枯葉のようにどこへ導くか予測できない。だが、正夢のように何かを暗示することもある。現実の私たちを飛び越え、社会というものが何によって動き、どこへゆくかをあぶり出す。この小説は、正夢のごとく、現実の社会に迫るものがある。

真夏の沿岸で「僕」は出会ったばかりのフィニーとたわむれている。ふとフィニーが海原に霞む黒い稜線をたどり、「あなたの目に町が映っている」と言う。「僕」が見る町では、今まさに祭りが始まろうとしていた。群衆は祭りに狂騒し、殺戮芸に熱狂する。彼らの内には、冷酷な現実を生きる、個々の人々の思いが揺らめく。熱気に押しつぶされた家族、ゴミを漁る子供たち、日に日に衰弱する母を悲しくも嫌悪する男。群衆の熱狂は彼らに迫り、踏みにじってゆく。祭りが去り、汚れ切った町に置き去りになった人々は、ただ、こう思う。「祭りなんかいらない。戦争が始まればいい。一度すべてを切開して破壊して殺してしまうのだ」

　そして戦争が始まるのだが、その引き金となる行動の描写が見受けられない。他国に宣戦を布告するわけでもなければ、内戦が始まるわけでもない。これは、いったい何なのか。

　私はそのヒントを、熱狂する人々にあるとみた。人は誰しも自身が抱える困難に向かい合っていかなくてはならない。しかし、みなが自らを忘れるほどの、一切が破壊される出来事、例えば戦争のようなものが起きたら、どうなるであろう。人々は自身の責任から解放されることになり、自らを顧みることを忘れ、目の前の安息を渇望する。その大勢の「欲望」が一つの意志になり、戦争へと突き進んでいったのだ。熱狂と恍惚。「欲望」という名の「戦争」は個人的しがらみの一切を吹き飛ばす。自らが持つ悩みはなくなり、私もあなたも一つの「欲望」によって生きることができる、だから、戦争を望むのだ、と。この小説は人々の「欲望の蠢き」を表現しているのだ。

　そして、この蠢きは、私たちが生きる社会を描いているようでもある。なにかを敵と認識し、一斉にバッシングを行い、隣国への敵対心を煽り、憎悪をまき散らす。それにより、一時的でも自己を忘れることができ、憎悪という「欲望」は満たされる。さながら「祭り」である。しかし、この欲望の行き着く先はどこか。一切が破壊された場所、一切の意志がひとつになる場所、すなわち「戦争」が始まろうとしているのだ。海の向こうの町と私たちがいる此方は異なる存在のはずが、表と裏のようにたしかにリンクしている。これがこの作品の凄みである。

　この小説は単に物語としてではなく、人の意志、現実の社会を見据えるうえでも大いに示唆に富んでいる。夢のような不安定な世界が続く中で、明確に現実を見据えている。海の向こうの「戦争」はわたしたちの社会にも、蠢き始めているのかもしれない。

週刊読書人 2020年1月31日号掲載

書評した本

きんじき
『禁 色』

三島 由紀夫著

文庫判・695頁・940円
新潮社
978-4-10-105005-8

書評した人

川口 敦史
かわぐち あつし

上智大学文学部
史学科４年

関心を持っていることは、文藝界に於ける「天才」の不在の中で、文学に携わる者たちは如何様に振る舞うべきか、如何にして時代を担う彼らが到来する為の道を整え得るのかに就いて。

『禁色』は、三島由紀夫が二十代の総決算として上梓した作品である。三島文学の特徴である演劇性と、プロットの機械の如き巧緻さが、本作品では顕著に表れている。すなわち、最終章で展開される美学的な言説によって、物語内部で起こった事に対し、解釈の光が照射される構造になっているのである。老作家たる檜俊輔が、南悠一という同性愛者の青年に美を見出し、その悠一を嘗て檜を見限った女たちに接近させ、成就しない愛の関係を築かせ復讐しようと目論む物語、それが本作である。その具体的なプロットが、実は、言語藝術の普遍的構造を解き明かす美学＝機械となっている。性愛、青春、肉体、精神、そして美と行為といった作品内に鏤められた諸要素は、あたかも機械の部品のごとく、全体（美学＝機械）に奉仕するのである。

　どういうことか。「大団円」と題された最終章で俊輔と悠一はあいまみえ、この時を待っていたと言わんばかりに、俊輔はおのれの美学を論じ出す。曰く、美は「人間的条件下に置かれた自然」である。自然とはそれ自体で確固として自足する存在者のことであり、美とは自足するものの輝きである。もし精神が美に魅了されそれに触れようとするなら、自立性はたちまち損われ、美は消失してしまう。だから精神が美を追い求めど「精神と自然の和解」へ到達することはない。精神と美の媾合は、ただ自殺という一回的で究極の行為によってのみ達成される。表現という手段が描きうる「最高のものは、たかだか、最高の瞬間の次位に位するもの」に過ぎない。ここに、美に焦がれながら傍観者に留まり続ける藝術家の苦悩がある。

しかしだからこそ「こうして表現に絶望した生者を、又しても救いに駈けつけて来るのは美」であると彼は言う。美は「生の不的確に断乎として踏みとどまねばならぬ」と生者に教える。何故なら、美は傍観者の表現無くしては、美として成立しないのだから。美はあくまで自立しており、それ自体では何ものでもない。美は、それを追う者によって、初めて美としての真骨頂を垣間見せる。美の蘊奥に届かないことが露呈するのは、生ける表現者が美に到達しようと言葉を振り絞るからこそである。だから美は、決して届かないものだけれど、絶対的に此岸のものである。そして表現者は、美を引き出す者として、行為者と同じく不断に死へと近づいている。自らの立つこの狂える恍惚境の秘密を俊輔は告白し、会話は終了する。それに伴って美学＝機械も停止へと向かう。

直後のエピローグでは、表現者にとって生と死がいかに表裏一体のもので、どっちに転んでも不思議ではないことが、簡潔かつ効果的に描写されている。

行為に対し決定的に遠く、しかしそれに肉薄し、美を引き出す……それが表現である。『禁色』は、一つの小説として自らが展開する物語すらだしにし、「表現」という行為の構造解析を行っている。そこには、表現に対する恐ろしく冷徹で、仮借のない三島の態度が見て取れる。物語を物語としてしか語ることを知らない小説が多いなか、『禁色』は稀代の発明品として、ひたすら駆動する瞬間を待っているのである。

編集者より

あらすじ紹介に頼らない文章からは、川口さん自身の、美と表現に関する粘り強い考察が感じられた。とりわけ「行為に対し決定的に遠く、しかしそれに肉薄し、美を引き出す……それが表現である」とは男色を描いた本書にふさわしく、三島の文学性もしっかり捉えている。他作品もよく読んでおられるのではないか。三島はエロスは「欠乏の精神」と語っているが（寺山修司対談）、美を追う者の精神構造についても考えさせられる書評だった。

（新潮社 文庫編集部 中村 睦）

書評した本

『鍵のない夢を見る』

辻村 深月著

文庫判・272頁・600円
文藝春秋
978-4-16-790398-5

書評した人

名古屋 美咲
なごや みさき

上智大学外国語学部
イスパニア語学科4年

大学ではスペイン語を勉強しています。息抜きは、大好きな音楽を聴いたり、ライブハウスに行ったりすることです。

私はこの本以上に心がぞわぞわし、鳥肌が立つような作品にこれまで出会ったことがない。『鍵のない夢を見る』は第147回直木賞を受賞した辻村深月による小説であり、「美弥谷団地の逃亡者」「仁志野町の泥棒」などの5つの短編から構成されている。本書の特徴としては、私たちが普段ニュースや新聞で目にする事件を、犯罪者に深くかかわりのある女性たちの視点から描いていることが挙げられる。作中の女性たちは、閉塞感の漂う田舎で思い描いていた理想とは違う生活を送っており、抜け出したいと思ってはいるものの、実際には何もできずに過去を後悔したり、友人を羨んだり、周りを見下したりすることで現実逃避をしているという共通点をもつ。だがそんなどうしようもなく自己中心的で、女性の醜さの集合体のような登場人物たちの心理描写には、読み手の心に突き刺さるものがあり、自分の中にも長い間蓋をしてきた感情が湧き上がってくる錯覚に陥る。自分の内面に潜む、誰にも知られたくない部分が露わにされていく感覚を味わうことができるのも、この作品の魅力の一つであると言える。

その中でも「芹葉大学の夢と殺人」は私が最も好きな話で、同じ大学のデザイン工学科で出会った雄大と未玖という男女の話である。夢を抱いて大言壮語する雄大に恋をしてしまった未玖は、絵本作家になるという夢を諦めて地元に戻り、教員の道に進むも新しい出会いもないままであった。そんな中でいつまでも夢を追いかけて叶わず、大学に在籍し続ける雄大の、別れてからも友達でいようという言葉に、遠距離での関係を続け、彼の欲しがるままに身体の関係を持ち続けてしまう。先の見えない恋愛にしがみついてしまう未玖の姿が、結婚に憧れる女性の焦りと相まって非常に現実的なものに感じられる。どうあがいても雄大から離れられない自分にも、叶いもしない夢を追い続ける雄大にも絶望した未玖の、

「たった一つ。自分以外の者に執着すればいい。夢以外に失うのが嫌な、大事な何かを作れば、誰かを愛しさえすれば、幸せを感じることが、きっとできる。それは、私じゃダメだったのか」

という切実な想いは、報われない恋や辛い恋愛をしたことのある読み手の胸を深く抉るであろう。「芹葉大学の夢と殺人」は他の四話とは毛色が違うものの、どうしようもない恋愛から抜け出すことのできない女性の葛藤する姿をリアルに描いており、愛に溺れた未玖の末路は衝撃的なものである。

『鍵のない夢を見る』というタイトルは、息の詰まるような田舎で暮らす女性たちが、ささいなきっかけから日常や常識からずれていく姿をうまく表現している。読み手としては、登場人物に対して「どうしてその選択肢を選んでしまうのか」ともどかしく思うところもあるが、主人公の気持ちや行動と読者の見えているもののギャップがこの作品の面白さでもある。少しずつ登場人物の人生の歯車が狂っていく様子は、全くの他人事だとは思えず背筋がぞくっとする。そんな形容しようのない気持ち悪さを面白いと思える人には心からおすすめできる一冊である。

編集者より

2012年の直木賞受賞作です。ラストの「君本家の誘拐」は中でも緊迫感のあるちょっと異色の1篇。大型ショッピングモールで母親の横にあったはずのベビーカーが消えてしまう。自らを責める母親だが実は……。執筆当時、出産直後だった辻村さんがこの物語にこめた思いとは。そう考えると、読む世代や時期によって感じることが変わってきそうな、どれも読み応えのある収録作品5篇。著者にとっても新境地となる一冊だったと思います。

（文藝春秋 文春文庫部 武田 昇）

書評した本

『わたしを空腹にしないほうがいい』

くどう れいん著

Ａ６変・78頁・909円
BOOKNERD

書評した人

近藤 伶香
こんどう れいか

二松學舍大学文学部
国文学科４年

現代短歌が好きです。最近は、家の田んぼで収穫された新米に合うおかずを探し求めています。おかずの暫定一位は、梅干しです。

食べることが好きだ。毎日何かしら食べなければいけないのなら、まずいものよりもおいしいものを食べたい。母が作ってくれる手作りの肉じゃが、某チェーン店が提供する味の濃い甘辛いハンバーガー、恋人と食べる多摩川の野草や釣ってきた魚、空き時間に靖国神社で友だちと日光を浴びながら食べるお弁当、深夜にこっそり隠れて食べる罪深い味のカップラーメン。全部好きで、全部おいしい。人には誰しも、好きな食べ物とそれにまつわるエピソードがある。日々生きていく中で、「食べる」という行為は切っても切り離せないものであり、楽しいときも、嬉しいときも、悲しいときも、私たちは食べていかなければならない。私はおいしいものを「おいしい」としか表現することができない。「おいしい」以外の上手な表現を知らないから。みなさんは、おいしい食べ物を食べたときにどのような表情をして、どのような言葉をこぼすのでしょうか。

本作の著者である、くどうれいん（工藤玲音）は、１９９４年生まれ岩手県盛岡市出身、在住の歌人・俳人であり、２０１２年に岩手日報随筆賞を当時までの最年少で受賞。２０１８年には短歌甲子園で準優勝に輝いた。現在はＰＯＰＥＹＥにて『銀河鉄道通勤ＯＬ』、書肆侃侃房にて『うたうおばけ』を連載中。盛岡だけではなく、文学界の未来を担う人物であると言えるだろう、と私は思う。今回、紹介する『わたしを空腹にしないほうがいい』では、食にまつわるエッセイと俳句がセットとなり掲載されている。

比喩に飽きここにゆらせばゆれるゼリー

著者は、中学校の給食に出るゼリーが好きで、特に、七夕のときに出される星形の牛乳寒天とパイナップルが入っているゼリーがお気に入りだった。大人になった今、中学生のときに憧れていた大きな七夕ゼリーを作るが、気持ちは満たされない。著者が本当に食べたかったのは、たくさんのゼリーではなく、小さな浅い容器に入っているほんの少しのゼリーで、「昼休みも合唱の練習するの嫌だなあ」と思いを馳せながら食べたかったと記している。実は、私も似たような体験をした。私の場合はゼリーではなくプリンだ。給食に出てくるプリンをおなかいっぱい食べたかった。大学生になり、欲を満たすためバケツプリンに挑戦したが、著者と同じ理由で気持ちを満たすことはできなかった。

かんかんのきみの背後の雲の峰

ゼリーの可愛らしい話とは打って変わって、怒りに任せて鶏胸肉をフォークで刺すエピソード。鶏胸肉をこんがりと丸焼きにして豪快に食べる姿はまるで王様のようだ。「雲の峰」は夏の季語で入道雲のことである。この句では、激しい上昇気流により巨大化した入道雲のように、むくむくと大きく怒りたっている様子を表現している。

泣いたり笑ったり怒ったり、ころころと変化する著者の俳句と表情を思い浮かべると人間味を感じ、自分に重ね合わせてしまう。食事は、「誰」とするのかも重要であり、家族、友だち、恋人などと過ごす時間の中にたくさんの思い出が溢れている。未来を予想することはできないが、この先、私たちが食事をしていくことはきっと変わらない。食べるのが好きな人も、そうではない人も、著者の何気ない日常を切り取った文章に共感と幸せ、おいしさを感じることは間違いないだろう。

書評した本

『退出ゲーム』

初野 晴著

文庫判・304頁・560円
KADOKAWA
978-4-04-394371-5

書評した人

木山 采佳
きやま あやか

武庫川女子大学短期大学部
日本語文化学科2年

2020年4月から4年制に編入し、3回生になります。アニメや漫画、小説、声優さんが好きです。最近、家族でUSJに行ったのですが、パーク内を歩きながら頬張ったチュリトスの美味しさが忘れられません。

やさしくなりたい。私が小説を読む理由の一つだ。本書との出会いはテレビアニメがきっかけだったが、どれも心が温まる話ばかりで原作が気になって読んでみた。小説や漫画、アニメなどの作品にふれたとき、どうしても好きになれない登場人物が一人は存在する。しかしこの作品ではみんなを好きになった。いや最初は好きでなくても、最後まで読んだ後には好きになれたのだ。自分にとっては初めての経験で、キャラクターのまっすぐ、思いやりのあるセリフや時に切なくも前向きな気持ちになれるエピソードがとても印象に残っている。

『退出ゲーム』は〝ハルチカ〟シリーズの一冊目で、「結晶泥棒」「クロスキューブ」「退出ゲーム」「エレファンツ・ブレス」の4編で構成されている。〝ハルチカ〟シリーズとは、廃部寸前の清水南高校吹奏楽部を立て直そうと奮闘する、穂村千夏（チカ）と上条春太（ハルタ）を主人公とする物語。二人は吹奏楽の〝甲子園〟「普門館」を目指している。吹奏楽に打ち込みながら様々な謎を解き明かしていくという、吹奏楽、青春、ミステリーの三つが描かれているストーリーだ。

4編の中でも「クロスキューブ」が一番好きだ。「クロスキューブ」でハルタとチカは、六面すべて白色のルービックキューブの謎に挑む。この謎を解くことが、ひとりの少女が前に進む最初の一歩となる。

この謎はチカとハルタが、部員を確保しようと、成島美代子という女子生徒に接触したところから始まる。彼女は中学時代に普門館で演奏したことがあるオーボエ奏者だった。二人は必死に吹奏楽部へ勧誘するが、彼女は決して首を縦に振らない。成島が吹奏楽を辞めた理由は、普門館での演奏中に入院していた弟が亡くなってしまったからだった。演奏を聴きに来ていた両親も自分も、誰も弟の死に目にあえなかった。成島は自分を責めて、弟の死からなかなか前に進むことができないでいた。そんな彼女の背中を押したのがほかでもないハルタたちだ。

ハルタは「きみの手に負えないものがあれば一緒に悩んであげるよ」とやさしく、また弟の死からまだ一年しか経っていないという成島に、「もう一年だ。大人になってから過ごす一年と、ぼくたちのいまの一年は違うんだ」と厳しく、謎と心を解いていく。

それは成島自身が欲しい言葉ではなく、そのときの彼女に必要な言葉だった。

やさしさとは、相手の求めに応えることだと思っていた。でも、そうじゃない。たとえ相手が泣いたとしても、苦しんだとしても、その人にとって必要な言葉や行動を与えることなのではないか。そしてきっとそれは、大切に思う仲間や仲間になりたい人に対してだからこそできることなのではないか。

当事者ではない限り、その人の痛みを知ることはできない。だからつい、これくらいの痛みだろう、これくらいの苦しみだろうと決めつけてしまう。それを決めつけるのではなく、想像し、相手に寄り添うにはどうしたらいいのかを考えることがやさしくなる第一歩なのだろう。この話を読んだ後、他人の気持ちについて、「どうせわからない」ではなく「どうすれば少しでも理解できるか」というふうに考えるようになった。私はほんの少し、やさしくなれたように思う。

書評した本

『小説の神様』

相沢 沙呼著

文庫判・384頁・780円
講談社
978-4-06-294034-4

書評した人

厚川 康平
あつかわ こうへい

早稲田大学人間科学部
健康福祉科学科3年

芸術・表象文化論ゼミ所属。早稲田大学所沢キャンパス祭実行委員会に所属、代表を務めています。関わる全ての人の心に残る祭になるよう頑張っています。

この世界には何千何万という数では足りない程の物語が溢れている。子供の頃初めて図書館を訪れた時の衝撃が僕には残っている。視界に入りきらない数の本、綴じられた内から香るインクの匂い、誰かがページをめくる音。こちら側を向いた背表紙の一つ一つに知らない世界が詰まっている事を想像した。たぶんその時、僕の中には疑問が生まれた。なんでこんなにも多くの物語が存在するのだろう。そして、人は何故物語を綴るのだろう、と。

本書はその疑問に対する答えのようなものをくれた作品である。読んで爽快！　ああ楽しかった！　そう思える本ではないのかもしれない。主人公の千谷一夜は売れない高校生作家。自分の生み出す文章がひどくつまらないものの様に感じ、発行される本は売れる事がない。世間で評価され、求められているものと自分の価値観は違うのではないか。頑張っても報われるとは限らない。そんな現実の闇の中で苦しみ、自己否定を続ける一夜の前にヒロインである人気作家、小余綾詩凪が偶然にも一夜のクラスに転校生として現れ、編集者からの提案で、合作小説を作って行くというのが本書のストーリーである。

小説には現実に立ち向かうための力があると思う、そう語る詩凪を夢物語だと否定する一夜を見て、フィクションである物語の中でくらい綺麗事を言ってもいいじゃないかと嫌いになってしまう読者も多いと思う。けれど、現実を考え妥協を繰り返しながらも心のどこかで希望を持って生きている人にこそ、この本に出会って欲しい。現実を生きる事は何より苦しい事で、頑張ったっていい結果が出るかはわからないし、努力している間のことなんて誰かに認めてもらえない事が多い。そういう現実を知っている人ならば、苦しみぬく一夜に共感できると思う。

何かを成そうと人生を生きる人は心を動かすきっかけがあった人なんだと僕は思う。それは素晴らしい演奏を聴いたとか、迫力のある試合を肌で感じたとか、かっこいい父親の背を見たとか、人それぞれだろう。一夜が詩凪と出会った事で現実と理想の間で苦しみながらも小説を書いた様に。

でもそうしたきっかけに出会えても、大抵の場合、現実はそんなに甘くないと知る事になる。その現実を見て頑張ることをやめてしまう人もいるしやめない人もいる。やめてしまおうかと考えても、運が良ければ他のきっかけに出会えてまた頑張れるかもしれない。きっかけは運に大きく左右されるものだ。都合よくきっかけが現れてくれるのはそれこそ物語の中だけだと思う。物語を好きではない僕の友人が、そういう都合の良さが好きではないと言っていた。そうかもしれない。綴られた物語は都合が良い、きっかけはすぐに現れ、主人公の努力は必ずと言っていいほど報われる。

だけど、それをわかっていても物語は僕らの世界に存在し続けている。一夜という主人公は都合良く、辛い現実に立ち向かう姿を僕らに見せてくれている。その姿が僕らに力をくれる。

そして、物語が終盤に差し掛かった時、気がつくのだ。この世界で物語が生まれ続ける訳を。辛く、残酷で過酷な現実の中で誰かのそばに寄り添う為に綴られる物語の存在を。僕はこの物語を通してそれを知ることができたような気がする。だからこそ僕は、頑張る人に、辛い現実の中で戦っている人にこの物語に触れて、世界に溢れる物語の意味を知って欲しいと、そう思う。

編集者より

物語なんて絵空事。だけど、その絵空事が、僕たちの心に寄り添い、背中を押し、人生すら変えることすらある――そんな物語の力を信じ、何かに必死に頑張る人の心を支える小説にしたい、そう思ってこの小説を世に送り出しました。そしてそんな物語が、厚川さんのもとに届いてくれたことを心から嬉しく思います。「僕たちはなぜ物語を求めるのか」その答えはきっとこの小説の中にあります。

（講談社タイガ 河北 壮平）

書評した本

『夢みる教養
文系女性のための知的生き方史』

小平 麻衣子著

B6判・208頁・1500円
河出書房新社
978-4-309-62497-6

書評した人

佐藤 奈央
さとう なお

和洋女子大学人文学群
日本文学文化学類3年

日本の文化や芸術について学んでいます。現在関心を持っていることは、現代詩や現代短歌などで、自分でも書いてみたいと考えております。

「あの人には教養がある」といった言葉はごく普通に使われる言い回しだが、さて、ここでいわれる「教養」とは一体どんなものなのだろう。殊に、女性にとっての教養とはどのように語られているか、そして女性に求められる教養とはどのような形をしているか。

自分で起こしたこの問いに対し、真っ先に芸術や文学、料理や手芸などが思い浮かび、それらは「女子力」という言葉に変換された。なぜ私は、女性の教養についてこのようなイメージを抱えているのだろう。「教養」という言葉が男性を対象としたときに、これと同じように考えられるだろうか。違うとすればなぜ、性別によって「教養」の意味が変わってしまうのだろうか。こうした疑問に、本書は答えてくれる。

本書は戦前からの「教養」という概念の変遷とともに、文系を中心とした教養と女性の関係について、史実や文学作品などから見ていくものである。

まず目についたのは、キャッチーな章タイトルであった。例えば、大衆の中での教養と女性の関係について書かれた第四章の「差別するにはまず女性を活用すべし」や、太宰治の『女生徒』と、作品の元となった実在する女性の日記との比較から、女性作家の表現の制限について書かれる第六章の「〈文学少女〉はいない」といった、女性を卑下するようにも見える皮肉な言葉に興味を惹かれ、次の章へ、次の章へとページをめくった。

しかし、親しみやすいタイトルに内包された本文には、教育や教養にまつわり、女性たちが現在までに受けてきた差別の歴史、そこから考察される差別の要因が、わかりやすく語られると共に、著者自身が感じる理不尽さへの憤りをも感じさせられた。

教養が持つ意味の変遷は、女性への差別の歴史と密接しており、女性と教養の関係を考えていく中で、けして目を背けることはできないだろう。

著者が結びに語った、教養的規範がもたらす、現代における女性への差別についても留意したい。確かに現代の女性は、本書に書かれているかつての女性たちに比べれば、進路の選択肢や男性同様の教養を学べる機会を「与え」られてはいるが、現状をつぶさにみれば、医学部入試での配点操作や、エビデンスが見込まれない「女性脳」「男性脳」というような概念によって、学問における得意不得意がまことしやかに語られるなど、性別による差別は社会にあふれている。このような差別を明白にするには、過去を見つめることが得策なのではないだろうか。

現に本書では、これまでの女性と教養の歴史に対して向き合うことでその格差を浮き彫りにしている。現在では常識とされている考え方が過去にどういった経緯で形成されたのかを知り、そこに差別があったのであればこれからの未来に向けてどう改めていくのかを考えていくことこそが重要なのである。そう感じずにはいられない。

著者より

憤りを感じていただいたのが、うれしい。私は文学が好きなのでしょう。微妙な言い方なのは、〈女性向き〉の文学部というイメージのせいで、自分で行った選択なのか疑わざるを得ないからで、そんな廻り道をさせられたことに憤っている。憤りを適切に伝えるのはなかなか難しいが、進路や学ぶ機会が〈与えられ〉ていることへの佐藤さんの批判は鋭い。こんなふうに未来に向けて読むことができれば、人文学が自分の選択であることを信じられるのだ。

（小平 麻衣子）

書評した本

『オランダ公共図書館の挑戦 サービスを有料にするのはなぜか？』

吉田 右子著

四六判・254頁・2500円
新評論
978-4-7948-1102-8

書評した人

垣本 季穂
かきもと きほ

京都ノートルダム女子大学
3回生

大学では、図書館司書と博物館学芸員の資格を取得するために勉学に励んでいます。趣味は食べログに載っていないカフェ巡りとひとりで美術館をまったり周ること。今年の目標は展覧会一〇〇本巡り！

「日本では図書館サービスは有料ですか？」

北欧の図書館研究に取り組む著者はある日、ノルウェーで働く図書館司書からそんなことを聞かれたそうだ。

日本では公共図書館サービスの提供は完全に無料であり、それはノルウェーでも同じである。

この会話は、著者がオランダの図書館に関心を抱くきっかけのひとつでもあるのだが、ノルウェーで働く司書は、続けてこうも言った。

「でもね、オランダでは図書館サービスに課金するんですよ」

学生の私にとって、本以外にも、CD・DVDの視聴、パソコンの利用等、おおよそのことが無料で楽しめる図書館は、魅力的な施設である。無料制こそ図書館の意義。そう考えていた私にとって、本書はとても衝撃的な内容であった。

その中でも特に印象に残った部分は、オランダという国が有料化したサービスに対し、どのように向き合っているのか、その具体的な取り組みである。

オランダの公共図書館の取り組みで感心した一例に、「テレビゲームの提供」があげられる。図書館は情報や知識を誰に対しても平等に与える機関である。確かに、学校でテレビゲームの話題が上がった時、必ずしも生徒全員がテレビゲームを所持しているわけではないだろう。家庭の事情、方針と、理由は様々であるが、たとえゲームひとつの話題だとしても、これでは情報の格差が生まれてしまう。そうした格差を埋めるためにオランダではここまで提供をするのだ。

またオランダは「ダッチデザイン」と呼ばれる程、デザインに長けた国である。そのためこの国の図書館では、読書しやすい空間や居心地の良いスペースが多数用意されている。

著者によると、図書館はその国の歴史、文化、宗教、政治から大きく影響を受けている。

上記はその例といえるだろう。そしてサービスを有料化したことは、図書館が利用者にとってより良い空間を提供しようと考えた結果でもある。

サービスの観点から見れば、日本も負けてはいない。ホスピタリティの精神を重んじる日本人の接客は、世界からみても評価が高い。しかし、日本ではサービスを受け取る側にある人々の意識が少々無頓着ではないか、と感じることも事実である。一方でオランダの人々の中には、サービスに対し敬意を払う、という意味合いから、それに対してお金を支払う考えがある。

大学で司書課程の授業を受講している私は、公共図書館が生涯学習の場として提供されていることを知った。同時に、地域交流や子育て支援サービスの活性化が図書館の課題であることも学んだ。これらの課題に、私は「居心地の良さ」が人々にとって少なからず重要な役割としてあるのではないかと感じている。今の日本の図書館は、私を含め純粋に本を読んだり、勉強をしたり、やや緊張感のある空間として活用している人々が多い気がする。この本に出会って、オランダではもっとカフェを利用するように、心地の良い空間として受け入れられているように思った。

しかしこのような公共図書館の取り組みを、日本でまったく同じ制度として取り入れることは難しいかもしれない。なぜならその国の土壌が生んだ考え方や価値観が様々であるからだ。ただ、オランダの「サービスを享受する意識」を日本人が知ることは、今後の私達にとって良い風が吹くきっかけになるのではないだろうか。

編集者より

図書館司書を目指している学生だけあって、しっかりと読み込んでいる。同著者は、ノルウェー、デンマーク、フィンランドの公共図書館に関する本を著しているが、これらの国に共通している考え方は、「本はエンタテインメント」というものである。

知識として本を読むのではなく、楽しむものとして読書を推奨する図書館司書を目指していただきたい。垣本季穂さんの未来に期待したい！

（新評論 編集部 武市 一幸）

書評した本

『高慢と偏見』

ジェイン・オースティン著

文庫判・672頁・1100円
中央公論新社
978-4-12-206506-2

書評した人

高橋 知里
たかはし ちさと

津田塾大学学芸学部
英語英文学科4年

春から東北大学大学院文学研究科へ進学。テーマは「自分の生命を自ら絶つ行為」について。好きなことは、本を読むことと、サックスを吹くこと。『高慢と偏見』は人生のバイブル。

この本に初めて出会ったのは、中学3年生の時であった。当時は幼くて読み終えるのに一苦労だったが、それから約7年間、「好きな本は何か」と問われたら、私は一番にこの本を挙げている。なぜ私は自分の生涯のバイブルだと言えるまでに、この作品を好きになったのだろうか。

ドイツの社会心理学者エーリッヒ・フロム曰く、愛とは「落ちる」ものではなく、知力と努力によって習得される技術である。たとえば「恋に落ちる」という表現にも見られるように、多くの人が恋愛とは感覚的なものであり、感情によって生じるものだと考えているのではないだろうか。しかし、愛とは理性に基づいたものだとフロムは言う。本当の意味で「愛する」には知力と努力に基づいた技術が必要であり、技術を獲得するためには習練を積み重ねることが必要なのである。また、愛するには人間として精神的に独立することが必要であり、人間的に自立していることで、自分自身も他者も愛することができる。

この物語の主人公エリザベス・ベネット（リジー）は、はじめは愛することが何かを知らない子どもであった。年収一万ポンドの紳士ダーシーに初めて出会ったとき、その高慢な態度と「この僕を踊りたい気にさせるような美人ではないね」という彼の言葉に怒りを覚える。無論、ダーシーから愛の告白をされても、あなたとは絶対に結婚しないと理性を忘れて断言する。一方ダーシーも、リジーへの想いを自覚するが、家柄や身分の違いのことを考えると彼女に愛情を抱いて良いのか相当悩んだことを正直に伝えてしまう。金持ちの家に生まれ育ったダーシーにとっては自分の身分や家柄についてプライドをもつことはある意味当然だったのかもしれないが、リジーは拒絶し、ダーシーに対する偏見を強める。

二人が互いの誤解から抜け出すきっかけとなったのは、ダーシーからの手紙だった。真実を知ったリジーは自分の感情的な思考を恥じ、ダーシーも自分の高慢さを後悔する。自分の高慢さと偏見を改め、新たな視点を得たことで、互いの本当の姿を見出していく。

一見すると、とある男女が紆余曲折を経て結ばれるという恋愛モノの典型的なストーリーに見えるかもしれない。しかし、この物語は高慢と偏見から解き放たれて本当に「愛する」ことを知った精神の成長物語なのではないだろうか。愛とは精神的に自立した人間が習練を重ねた上で能動的につかみ取るものである、というフロムの愛の理論をまさに実現しているのである。

ダーシーの偏見にとらわれていたリジーは、まるで恋に陥ってまわりが見えなくなっていた、かつての愚かな自分のようだ。だからこそ、この物語はリジーを自分に重ね合わせて読むことができ、二人を通して「愛するということ」の真の意味に触れることができるのかもしれない。精神的に大人になり、理性をもって自分の過ちを素直に認め、偏見や先入観にとらわれず、そして相手を尊重し大切にできることで、本当の「愛すること」が始まる……。これが、私がこの物語にずっと惹かれている理由なのかもしれない。

きっとこれからも『高慢と偏見』は、愛とは何かについて考える人々にとっての大切な一冊であり続けるだろう。（大島一彦訳）

編集者より

あまたある「高慢と偏見」の翻訳のなかから、弊社の本を選んでいただき感謝します。大島先生の、格調高さと平明さを併せ持った訳文と、愛らしい19世紀の挿絵がたくさん入っているところが本文庫の特色です。オースティンが亡くなってから二百年以上たちますが、幸福な結婚を考える女性の悩みは変わりません。皮肉屋だけれど誠実なダーシーと賢いようでいてそそっかしいリジーの物語を、またおりにふれてお読みいただければ幸いです。

（中央公論新社 山本 啓子）

書評した本

『整形した女は幸せになっているのか』

北条 かや著

新書判・272頁・860円
星海社発行・講談社発売
978-4-06-138569-6

書評した人

松野 夏輝
まつの なつき

甲南女子大学医療栄養学部
医療栄養学科２年

管理栄養士を目指して勉強中。趣味は読書、美術館・博物館巡り。今年の目標はペーパードライバーを卒業すること。

高校生の頃、通学中に知らない人から「おい、ブス」と声をかけられた。相手は同年代くらいの異性だったと思う。何も言い返せず、悔しくてべそをかきながら学校に行った、苦い思い出だ。

その経験から、私は本書を手に取った。世の中顔が全てだという言説の真偽はいかがなものなのか。一方で、人は見た目じゃないともいわれる。その真実を知りたい人は、多いのではないか。

近年、整形は日本の若者にとってカジュアルなものになりつつある。Twitterには「整形垢」と呼ばれる美容整形経験のある女性たちのアカウントが存在し、YouTubeでは整形アイドルが人気を博している。ある女優が昨年テレビ番組で整形を公にしたのも記憶に新しい。

整形とは彼女達にとってどんな意味を持つ行為なのだろう。表紙に大きく書かれているように、女性を幸せにしてくれるものなのか。私はその答えを求めてページを開いた。

本書は五つの章から構成されており、推定規模二〇〇〇億円にものぼる整形市場が多方面から捉えられている。例えば第二章で「それぞれのダウンタイムストーリー」として語られる、美容整形を行った女性達の体験談は非常に興味深い。施術を行った理由や環境は三者三様だが、いずれも自らを高める行為として整形を利用している。

また、第四章には自らの整形体験を一冊の本にまとめ上げた作家・中村うさぎへのロングインタビューが収められている。ここでは整形で得た美を失う恐怖や老いとの闘いが描かれ、その壮絶さはまさに「地獄」だ。

その他にも先行研究の検討や、岡崎京子が美容整形をテーマに描いた漫画「ヘルタースケルター」の批評などを通し、社会学の俊英である著者が現代社会の美をめぐる欲望に切り込んでゆく。

本書を読むまで、私は整形には断固反対だった。傷のない顔にメスを入れるという行為や、目に一番見える部分が変化するという事が自然の摂理に反すると感じたからだ。

著者はそういった整形批判を行う人を、「思考停止状態」と批評する。整形市場は今、大きく変わりつつある。そこから目をそらすのは、実にもったいない、と。

「綺麗になるために努力して、何がいけないの？」

これは自身の整形に何千万という費用をつぎ込む女性、ヴァニラの言葉だ。シンプルながらもハッとさせられた。整形の事をよく知らずに嫌悪し、一線を引いていた自分がとても恥ずかしかった。私達が考えねばならないのは「整形の善悪」ではない。その向こう側にある、「整形を行う根底にあるものの正体」だ。

顔は自分の物でありながら、他者の評価に大きく左右される。その評価こそが見た目の本質といっても良いかもしれない。美の基準はいつだって自分の外側にある。

それゆえ多くの女性達が誰かの発言に傷つけられたり悩んだりするのだ。

本書はそうした「他者に翻弄される苦しみ」から解放され、幸福を手に入れるヒントを教えてくれる。私達はもっと貪欲に自分の欲望を追求してもいいのではないだろうか。

その一つの手段として整形を選ぶのも、また別の方法を模索するのも個人の自由だ。

著者はあえて、整形を肯定も否定もしていない。答えはひとりひとりの倫理観と価値観に委ねられており、彼女は、ただまっすぐ読者に問いかけてくる。

いま、あなたは幸せですか？

編集者より

あらゆる出版物について言えることですが、自身のなかに湧き出た疑念や好奇心を解決するために本を取る、まずその動機に出版社として感謝します。「美の基準はいつだって自分の外側にある」という言葉、これは「美」以外でも言えることで、はっとさせられました。本書の内容をある事象をいくつもの視点から見ようとするきっかけとして頂いたようで、編集冥利に尽きます。私も改めてその視点が自分にあるか、問うてみたいと思います。

（星海社 宣伝プロデューサー 築地 教介）

書評した本

『資本主義の終焉と歴史の危機』

水野 和夫著

新書判・224 頁・740 円
集英社
978-4-08-720732-3

書評した人

坪島 阿紀
つぼしま あき

愛知大学経済学部
経済学科４年

大学では学業にくわえ、本校主催の産官学連携プログラムに取り組みました。2020 年４月からメガバンクに就職します。卒業研究では銀行と銀行員の未来についての論文をまとめました。お金の勉強をこれからも続け、人生を豊かにするマネープランを提供していけるよう、新たな生活をスタートさせていきたいです。

ベストセラーとして多くの読者を得た本書は、雄大な歴史的視野と幅広い学術的知見にもとづいて、「資本主義の終焉」という未来と、それが人類にとって重大な「歴史の危機」であることを鮮やかに捉えた作品である。本書はこれからの未来を生き抜いていく、とくに若い世代の私たちにとって決して無関係ではない、広くて深い示唆に富む内容に満ちている。

冒頭での「資本主義の死期が近づいているのではないか」という著者のストレートな問題提起には正直なところ、かなり驚かされた。しかし本書を読了し、ゼロ金利、ゼロ成長、ゼロインフレという資本主義の直面する現状からの、ごく妥当な論理的帰結といえるのではないかと思うに至った。かつて17世紀初頭のイタリアのジェノヴァで生じた、金利２%を下回る「長い16世紀」の利子率革命と同じように、先進諸国で超低金利の時代が長期におよんで持続している。著者はこれを、長い「21世紀の利子率革命」と呼んでいる。「利子率＝利潤率が２%を下回れば、資本側が得られるものはほぼゼロ」であり、そのことは、既存の経済・社会システムがもはや維持できなくなることを告げている。著者のいう「資本主義の終焉」とは、まさに「利子率革命」をつうじてもたらされる大転換のことだ。

本書全体の論旨と提言はきわめて明快である。1970年代以降、利潤率とほぼ一致する長期利子率の低水準に直面することになった、とくに先進資本主義国アメリカは、これまでの「地理的・物的空間（実物投資空間）」から、新たな利潤獲得のための「電子・金融的空間」を構築した。これは、いわゆる新自由主義（市場原理主義）の経済思想にもとづき、IT（情報技術）と金融自由化が結合してつくられる空間」であり、これによって、1970年代に「終わりの始まり」を迎えたはずの資本主義システムを30年以上におよんで「延命」させることとなった。だが、新たな「電子・金融的空間」での利潤創出は、ITバブルと住宅バブル、2008年のリーマン・ショックを引き起こした。「バブルの生成過程で富が上位1％の人に集中し、バブル崩壊過程で国家が公的資金を注入し、巨大金融機関が救済される一方で、負担はバブル崩壊でリストラにあうなどのかたちで中間層に向けられ、彼らが貧困層に転落すること」になったわけである。くわえて地球の資源は有限で、中国やインドなど圧倒的な人口規模を抱える人々の皆が豊かになれるわけではないという厳然たる事実もある。資本主義における新興国の成長過程では、国内で貧富の二極化が生じうる恐れが、絶えず存在するのだ。そしてまた日本も、異次元の金融緩和と積極的な財政出動、構造改革・規制緩和によって「成長」を追求し続けるアベノミクスによって、「危機」の濃度を高めている（米中貿易戦争など世界経済の不透明感は本書刊行以降、一段と顕著になってきている）。「成長資本主義」から脱却することが重要であり、われわれは「脱成長という成長」を本気で考えるべき時期に突入したと、著者は最後に結論づけている。

とりわけ興味深いのは、「中心／周辺」という分割構造、そして「周辺」からの富（資本）の「中心」への「蒐集」をつうじて、近代資本主義と現代のグローバリゼーションが成立し、「周辺」の犠牲によって「中心」が存在できるという著者の指摘である。中心になれるのは全体の15％であり（近代の定員15％ルール）、格差が必然的に生じうる。ちなみに日本における平均年収を評者が調べたところ、1000万〜2000万円が一般に富裕層といわれ、その人たちが占める割合は日本人口の5％以下で、日本人の上位15％は年収800万円以上だった（国税庁民間給与実態統計調査）。中国人は約2900万円と日本より富裕層の基準が高いが、これは中国総人口の1％にあたる。日本と中国におけるこの数字からも、新興国の近代化で起こる「中心」と「周辺」の格差が先進国より大きいことがわかるだろう。

著者によれば、世界でもっとも早くゼロ金利、ゼロ成長、ゼロインフレに直面した日本は、他の先進諸国に先駆けて資本主義というシステムから「卒業」し、新たな経済システムを構築できるアドバンテージをもっている。しかしそれはけっして確定的でない、未知なる問題だ（著者は続編『閉じてゆく帝国と逆説の21世紀経済』を2017年に刊行し、本書の議論をさらに深めている）。利潤を生みだしうる地球上のフロンティア（周辺）がもはや残されておらず、そうならば、「技術革新で成長するというのは、21世紀の時代では幻想にすぎないのです」という水野氏の逆説的主張は、われわれの常識を根本から反転させるものとして傾聴に値するのではないだろうか。

本書のコアメッセージのひとつである、「ゼロ金利は資本主義卒業の証」という言葉は、銀行と銀行員の未来についての卒業論文をまとめた評者の脳裏に強く残っている。貨幣（お金）や金融、銀行について考えることは、「資本主義」そのものを考えることだ。われわれは無意識のうちに、資本主義は絶えず成長し、また成長すべきであるという成長資本主義の考えに囚われてしまっていたのかもしれない。著者のいう「脱成長という成長」にもとづく定常化社会を実現していくなかで、新たな日本社会の姿と人々の豊かさのあり方を問い直すことは、「歴史の危機」（歴史の岐路）に直面する人類にとっての新しい挑戦ではないかと、評者は受け止めている。「長い21世紀」にはたくましい想像力＝創造力こそが求められるのだから。

タイトルの重々しさと違い、本書には前向きで新鮮な息吹が感じられ、不思議な心地よさを読者に与えてくれている。

※括弧による文章は本書からの「引用」である。

著者より

坪島さんの最後のご指摘、「タイトルの重々しさと違い、本書には前向きで新鮮な息吹が感じられ、不思議な心地よさを読者に与えてくれている」には著者としましては、とても勇気づけられます。普段、おそらく拙著を読んでいないであろう人が書名だけで判断して、すごく悲観的ですねと言われることが多く、私としてはそんなつもりで書いたのではないのに、と内心思っていましたので、坪島さんのような若い方にこのように指摘していただいて、すごくうれしかったです。そろそろ資本主義の本質に抱えている欠陥を是正していくときだと思います。企業に製造物責任があるように、資本家にもそれがあると思うのですが、どうも期待できそうもない状況のようです。あきらめないで今後も微力ながら主張していきたいと思っています。

（水野 和夫）

第2部

添削例

●書評した本
穂村 弘著『手紙魔まみ、夏の引越し（ウサギ連れ）』
●書評した人
吉田 詩織（宮城学院女子大学学芸学部日本文学科３年）

①短歌が好きだ。
そう言うと、たいていの人が怪訝な顔とともに「変わっているね」②といった言葉をこちらに返してくる。疑問に思って数人に聞き、分かった。どうやら短歌には「小難しくて、馴染みがないもの」といったイメージが強くあるらしい。

そういった③固定概念をひっくり返すのが『手紙魔まみ、夏の引越し（ウサギ連れ）』である。

本書は、著者で歌人の穂村弘さんに送られてきた「まみ」という女の子からの五九一④枚の手紙がベースとなっている。⑤あとがきでは、本書がその大量の手紙への返信であるとされていたが、短歌は著者の目線ではなく、すべて「まみ」の立場から詠まれていた。⑥ちなみに「まみ」というのは、妹である「ゆゆ」と黒ウサギの「にんに」とともに暮らす女の子だ。

この作品にはそういった背景や、それを基にした設定に、著者の

編集部コメント

①吉田さんは、穂村さんの作品以外の短歌も好きですか？ この本は一般的な歌集とは少し違っているので（穂村さんの作品の中でも特殊ですよね）、もし他に好きな短歌や歌集があるようであれば、最初にいくつか列挙して、「中でも、短歌に対する固定観念をひっくり返すのが～」などと本書を紹介すると、より短歌と、本書の面白さが伝えられる気がします。
②「～といった」「そういった」という表現が繰り返されていたのが気になりました。ところどころ入っている分にはいいと思うのですが。書き言葉では「という」「そうした」などの方が、すんなり読めるように思います。
③正しくは「固定観念」。
④「枚」→「通」
の方がより正しいでしょうか。
⑤この指摘、いい点をついていますね。

工夫が多々見られる。だがそれだけではなく、そもそも『手紙魔まみ、夏の引越し（ウサギ連れ）』といった個性的なタイトルからして既存の歌集とは一味違うことが分かる。そしてさらに、それを引き立たせる、可愛らしくも毒のあるタカノ綾さんによる表紙。書店に並んでいたら思わず手に取ってしまうだろう。そして、数ページめくって度肝を抜かれるに違いない。

可能性。すべての恋は恋の死へ一直線に墜ちてゆくこと
氷からまみは生まれた。先生の星、すごく速く回るのね、大すき。
外からはぜんぜんわからないでしょう　こんなに舌を火傷している

私が好きな歌を引かせていただいた。どうだろう。今まで教科書等でしか短歌を知らなかった人ならば、愕然とするのではないか。現代的で平易な言葉が用いられている点や、内容から受けるポップな印象に驚かされる人も少なくはないだろう。一読して理解できるものではないが、かといってまったく訳が分からないものというわけでもないと思う。

読者は「まみ」について、短歌を通してしか知ることができない。キャバクラ嬢やウエイトレスをやっていることや、病院にかかっていることが明かされても、いったいどのように働いているのか、何の病気であるのかは分からないまま想像を巡らせて読み進めていく

⑥「ちなみに」は付け加えのようなときに使いますが、「まみ」は主役でこの設定も重要なものなので、「ところで」などと接続するのがよいのではないでしょうか。
⑦回りくどいのでトル。
⑧くり返しになるのでトル。
⑨「表紙と挿絵」とした方が適切。
⑩無駄な敬語はいりません。誰に対する敬語なのか分かりにくいですし、シンプルに敬語抜きでいいです。

しかないのだ。
歌集内で彼女は

ボーリングの最高点を云いあって驚きあってねむりにおちる

星の夜ふたり毛布にくるまって近づいてくるピザの湯気を想う

といった優しい日々の中に

包丁を抱いてしずかにふるえつつ国勢調査に居留守を使う

神様、いま、パチンて、まみを終わらせて（兎の黒目に映っています）

などの不穏な気配を漂わせながら暮らしている。

これらの、読者と「まみ」との距離感や、彼女自身の暮らしぶりは、私たちの現実生活と似ている。⑪他者との関わりの中で何もかもをさらけ出す人はほとんどゼロであるし、四六時中、心穏やかな人もいないだろう。彼女はこの本の中にいるが、読者の心のとても近いところにも存在するのだ。

短歌は決して「小難しくて、馴染みがないもの」ではない。⑫意外と生活に密着していて、想像力を豊かにしてくれる。短歌と縁がなかった人にこそ、ぜひ読んでいただきたい一冊である。

▼**最終稿は26頁をご覧ください。**

⑪本書のよさについて、冷静に、よくとらえていると思います。

⑫一般的な印象として短歌は身近ではない、ということを含めて「意外と」と書いているのだと思いますが、本来は、短歌とは人間のごく身近にあることを歌うものだと思うので、この言葉はない方がよいのではないでしょうか。

POINT

短歌が好き、とはじまるだけあって、楽しんで読み、書いていることが感じられました。表現の細部にまで、さらに気を配って文章化すると、より伝わる書評になると思います。ブラッシュアップして、吉田さんの好きな短歌の世界を、まだ出合えていない読者に届けられるといいですね。

●書評した本
司馬遼太郎著『燃えよ剣　上・下』
●書評した人
小栗珠実（甲南大学マネジメント創造学部２回生）

幕末に活躍した人物は誰か、と聞かれたら貴方は誰と答えますか。①私は、②新撰組副長土方歳三と答える。③新撰組とは、幕末に浪士で結成された警察機構のことである。④活躍した期間は短かったが、池田屋事件や戊辰戦争など歴史的に⑤重大な影響を与えた。本書は、⑥新撰組副長土方歳三の多摩時代から新撰組結成、各地との戦闘、そして函館戦争で戦死するまでの「喧嘩士」としての生涯を⑦事細かに描かれている。

この本を読んで、私は土方歳三の生き方にあこがれ、また魅了された。土方は自分の人生のすべてを近藤勇⑧のため、新撰組のために生きた。一回しかない一生を何かのために⑨捧げられることは⑩容易ではない。今の時代、何かのために、または自分の目的のためにでも、一生を捧げられるような人生を送っている人は少ないと思う。人生をかけるほどの何かが見つからない、目的があるが周囲の目を気にして、自分自身を主張せずに過ごしている人が大半であろう。⑪私も

編集部コメント

①「答えるだろうか」と、他の文末の「である」調に合わせた方がいいでしょう。
②幕末に活躍した人物は多々いるので、「私は、誰をおいても」といった一言があった方が、読み心地がいいように思います。
③表記は、本に合わせて「新選組」と。以下同様に。
④新選組自体に尊王の意識もあってちょっとややこしいのではありますが、「尊王派を統制した」ことと「佐幕派」だということを、ここで加えておくのがいいのではないかと思います。
⑤歴史的に→歴史に。
⑥は→には。
⑦を→が。
⑧多くの人が知っているとは思いますが、「新選組局長近藤勇」と説明を加えては？
⑨「自分以外の何かのために」などとすると、より伝わる気がします。
⑩捧げられる→捧げる

この本に出合うまで人生に目的も無く、なんとなく日々を過ごしてきた。幕末と現代では世の仕組みや人の考え方が違うから、そのような生き方ができると言う人もいるかもしれない。しかし、土方は周囲の目を気にせず、ただ新撰組の強化、近藤勇をたてるために生きた。この信念を貫き通すことは、時代に関係なく成し遂げることは非常に難しいと私は思う。⑫特に、江戸時代は、身分制が敷かれた階級が厳しい時代である。その時代に、自分の意見を主張し続けたことは強い信念を持っていたのだとわかる。

　そう思ったのは、新撰組総長山南敬助が脱走した時の沖田総司と土方の会話の内容である。総長と副長は同格の身分であるが、隊士の直接指揮権は副長にある。総長は、局長の相談役という職務しかなく、ほとんどの隊士は、⑬そういう仕組みを作った土方を憎んで脱走したと言われていた⑭。また、ほとんどの隊士は、土方を憎んでいた。沖田は、山南の脱走を機に土方が隊士から嫌われていることを知っておくべきだといった。土方は、平然と知っている⑮と答えた。「おれは副長だよ。思い出してみるがいい。結成以来、隊を緊張強化させるいやな命令、処置は、すべておれの口から出ている。近藤の口から出させたことが、一度だってあるか。将領である近藤をいつも神仏のような座に置いてきた。副長が、すべての憎しみをかぶる。」⑯

⑪このように言ってしまうのは、主観的過ぎるかもしれません。あまりいい例ではないですが、ＩＳの自爆テロ（ジハード）が多々起こっていますし、そうした暴力に対して闘っている人もいます。他にも研究に精根尽している人もいますし、育児に全てを捧げている人もいます。自分のことをいう分には、主観であって構わないので、ここは削除して自分の話のみにしてはいかがでしょうか。

⑫江戸時代は確かに「士農工商」に身分分けされた時代ですが、実際には江戸より以前の時代も身分差別が激しかったと思うので、今との対比というかたちで、「江戸時代は今とは違い、身分制が敷かれた社会である」などとした方がいいかもしれません。

⑬ここに「山南が」と入れると内容が明確になります。

⑭言われていた→考えていた

⑮「知っている」と括弧に。

⑯引用は、文字、句読点まで同じように引きましょう。略すときも、（略）などと入れてください。

新撰組てものはね、本来、烏合の衆だ。ちょっと弛めれば、いつでもばらばらになるようにできているんだ。」と土方は言った。⑰

自分の信念を突き通すには、代償が必要だ。土方は、新撰組、近藤のために隊士から憎まれることを選んだ。人から憎まれることは、つらいことであるが、その道を選んでも成し遂げたいと思う気持ちは誰でもできる行為ではない。⑱憎まれ嫌われても、新撰組のため、近藤のためにその道を選んだ、この強い信念を持った土方の人生は、美しく、崇高な人生⑲だと私は思った。

今の時代、人生の目的もなく漠然とした日々を送っている人が多いだろう。⑳そんな人に、本書を読んでほしい。何かのために尽くす、ということが美しく、素晴らしいことだと気づくことができ、意義のある人生にしようと思える一冊であるからだ。

⑰この引用の前に、「沖田は～といった」「土方は～と答えた」とあり、ここでは「土方は言った」をカットして、〈「～できているんだ」と。〉ぐらいで収めると文章のリズムがよくなる気がしました。

⑱ここは二行前に重なっているので、削除。

⑲ここも「人生」の文字が重なっているので削除。

⑳前述したとおり、「多いだろう」と決めつけてしまわない方がいいと思います。

▼最終稿は28頁をご覧ください。

POINT

小栗さんが、本書のどこに心が動いたのかは、とてもよく分かりました。ただもう少し本書を別の場面からも、紹介するとよい気がします。例えばですが、この書評のはじめの方に「人生のすべてを近藤勇のため、また新撰組のために生きた」とあるわけですが、近藤が死んだ後も最後まで闘い続けた姿や、その悲劇的な結末についても、どのように描かれているのか加えると、より土方という人物が、読者に伝わるのではないでしょうか。また、土方歳三を書いた本は他にも多々ありますが、司馬遼太郎による「土方歳三」の特別さ、などについても、触れられるとなおいいのではないかと思います。

●書評した本
穂村 弘・山田 航著『世界中が夕焼け』
●書評した人
平野 杏（名古屋大学文学部3年）

高校二年だったころ、短歌の本を探していた。現代短歌に挑戦していたのだが、詠むのも読み解くのも自力ではどうしようもないほど難しく感じて、参考になりそうな本が欲しかったのだ。そうして書店の狭い短歌コーナーを眺めていると一冊の本が目に入った。『世界中が夕焼け』というタイトルのくせに①真っ白な本だった。

穂村弘さんの短歌に山田航さんが短歌評を書き、更に穂村弘さんが返事をする、という内容だった。その場で見つけた中で一番参考になりそうだったのでそのままレジに持っていったのだが、当時は結局、この本からはほとんど何もわからなかった。少し難しすぎたのかもしれない。

内容もあまり覚えていなかったこの本を、大学生になってから読んだ。②

どうして高校時代に難解だと感じたのかわからないほど面白かった。短歌の作者の穂村弘さんと、短歌評をつけた山田航さんと、そ

編集部コメント

①くせに→なのに
生々しすぎる言葉で、これはこれで面白い気もしますが、やはり書評にはふさわしくないと思います。

②「改めて読んだ」などとしては？　より明確になります。

③「三人がこの本にはいる」という表現が分かりにくいので、カットして、「それを読んでいる私が三人でお喋りをしながら」とすると、すんなりと文章がつながるように思います。

れらを読んでいる私の三人がこの本にはいるのだが、三人でお喋りをしながら一つの短歌について考えているような気分になるところが魅力的だった。

タイトルにもなっている「校庭の地ならし用のローラーに座れば世界中が夕焼け」の歌を見るたびに、私は中学校時代を思い出す。自分にとっての「世界中」が学校の校庭くらいの広さしかなかった中学生の頃、昇降口で親友を待ちながら見た夕焼けが美しく蘇る。まるで中学生だった私が本の中にいるような、生きた短歌だと思った。

ところが、山田航さんの短歌評には全く別のことが書いてあった。「ローラーの上に座るというのは、自分ができうる限りの高みに登るための手段がそれしかなかったということなのだろう。（中略）あまりにも狭い世界を必死に生きている青春期の、微かな抗いのような一瞬を切りとってみせた歌」……。はっとした。そんな読み方があるのかと驚いた。慌ててページをめくり、穂村弘さんのコメントを見た。

今度は拍子抜けしてしまった。山田航さんの短歌評に触れているようないないような、フワっとしたコメントが書かれていたのである。どのようなことが書いてあるかは、実際に読んで確かめてい

④この鑑賞、とてもいいですね。

⑤引用は、一字一句、忠実に写すようにしましょう。

⑥「フワッとしたコメント」という表現では、穂村さんが適当に書いているように読めてしまいますし、何が書かれていたのか読者に内容が伝わらないので、穂村さんの文章の核心だけは記した方がいいでしょう。「三人でお喋りをしながら一つの短歌について考えているような気分」が、読者にも共有してもらえるといいですね。

山田さんと穂村さんの、この短歌の捉え方で最も差異があるのは、この景を大きいとみるのか、小さいとみるのかではないか、と思いました。

⑦マイナスの印象が強い表現になっているように思います。「言葉の表面的な意味以上のものは」「三十一音という限られた文字数におさまらなかった意味は」とか？　考えてみてください。

⑧これが短歌の味ですよね。でもやはり「はみ出た部分」という表現だと、ネガティブなイメージが含まれるように思います。

ただきたい。

私はここを読むたびに、これでいいのかと思って安心する。短歌において、⑦三十一音の制限からはみ出てしまった内容は、読者の想像に任せるしかない。この本では、⑧はみ出た部分を山田航さんが自由に拾い上げて解釈を述べているが、穂村弘さんは合っているとも間違っているとも記していない。せいぜい、自分はこう思っていたとか、そこまでは想定していなかったとか、そういうことが少し書かれているだけだ。短歌を読み解くとき、自分の考えが間違っていたらどうしようと思うことがあるのだが、⑨短歌を詠むのも読み解くのもこんなに自由なのだとこの本を開くたびに思わされる。

この本のタイトルは『世界中が夕焼け』だが、装丁は真っ白である。短歌のようだな、と感じる。表紙の夕焼けの色は、読む人によって自在に変わるに違いない。

▼最終稿は30頁をご覧ください。

⑨この感想が間違っているわけではないです。そして私も、穂村さんの本を読むと、自由さにワクワクして、短歌が作りたくなります。ただ確かに自由なのですが、何でも好き勝手に読んでいいわけではなく、取り上げた歌によっては、山田さんが、作者の穂村さんにも気づいていなかった（でも確かにそうだと思う）読み解きをしているところもありました。短くていいので、欲を言えばもう一首、二人のやりとりの別バージョンが紹介されると、書評としてバランスがよりよくなるのではないでしょうか。

POINT

最後の「『世界中が夕焼け』だが、装丁は真っ白である。短歌のようだな、と感じる」という評が、とてもいいと思いました。これは平野さんの発見ですね。たった三十一文字の短歌を挟んで、異なる読み解きが可能になるという、とても大事なことをこの書評で伝えられていると思います。未読の読者に、より伝わるように、推敲してみてください。

●書評した本
辺見 庸著『もの食う人びと』
●書評した人
渡邊 翼(上智大学大学院グローバルスタディーズ研究科)

スペイン語には知る[1]という動詞が二つある。saber(サベール)とconocer(コノセール)だ。これまでの私の旅がsaberなら辺見の旅はconocerである。

本書のテーマは至ってシンプル。人びとがいま、どこで、なにを、どんな顔をして食っているのか、それともどれほど食えないでいるのかを知ることだ。辺見はさまざまな国や地域へ訪れ、各地の人びとと同じものを食いまくる。

なぜこのような旅をするのか。それは日本の食状況にある。辺見は言う、「長年の飽食に慣れ、わがまま放題で、忘れっぽく、気力に欠け、万事に無感動気味の、だらりぶら下がった、舌と胃袋。だから、こいつらを異境に運び、ぎりぎりといじめてみたくなったのだ。この奇妙な旅の、それが動機といえば動機だ」と。

ゆえに辺見は、気品あるレストランを俎上に載せ、延々と優雅に語るグルメ本のような、洒落たことはしない。むしろ、生死の瀬戸

編集部コメント

①括弧をつけることで、強調や他との区分化の意味合いが出ます。ここでは「知る」と括弧に入れてはどうでしょうか。この書評の中で、本書を紹介する要点になっていると思うので。

際、食う、食らいつく。そんな状況下にある人びとを取り上げる。②だからこそ、彼はスラム地区の人びと、出稼ぎ労働者、囚人、放射能に汚染された所に住む村人、難民キャンプで生活する人びとに接触し、残飯、囚人食、難民向け援助食材、放射能汚染食品などを食う。

一方で取材も怠らない。彼が対象とするのは、③紙面を飾るような人びとではない。その対極、もの食う人びとだ。そんな彼らの語りは、④なぜ奇怪ともいえるものを食い、どうしてそこで生活するのかを教えてくれる。

本書の一節を紹介する。口に運んでいると、店主から残飯だと指摘される。辺見はダッカの駅前広場の屋台で、焼き飯を注文する。うっとなり、皿を放り出せば、か細い腕がニュッと横から伸び、少年が皿の奪い合いをはじめる。ダッカには富裕層の食べ残しを売る残飯市場が存在する。残飯を求めて並ぶ女たち、橋の袂に転がる死体、残飯が商品化するなか、それすら食えず死んだ者がいるかもしれないと辺見は推察する。⑤わずか九頁。バングラデシュ政府は食の確保を国策として掲げている。政府、上流階級、中間業者、残飯に食らいつく人、ありつけない人、辺見は食を切り口に、ダッカの社会構図を描く。

②前の段落に同じく順接の「ゆえに」があり、重なりが気になりました。ここは接続詞をカットして、続けてしまっていいと思います。

③少し言葉が足りないように思います。「紙面」を「大新聞の紙面」とし、「もの食う人びと」を「ただのもの食う人びと」と強調してはどうでしょうか。

④私たちの目から見るときに奇怪に映るだけで、現地では日常だと思いますので、たとえば「飽食の世界に住む我々から見ると奇怪ともいえるものを」などと、言葉を加える必要があるかもしれません。

⑤突然「わずか九頁。」とくるのも、ハッとさせる効果はある気がしますが、文章の流れが途切れてしまうせいで、やや分かりづらくなるので、「政府、上流階級、中間業者、残飯に食らいつく人、ありつけない人……辺見は食を切り口に、わずか九頁で、ダッカの社会構図を描く」という語順にした方が、伝わるように思います。

saberは知識や情報を知っているときに使い、conocerは人や場所、物に熟考⑥しているときに用いる。彼女を知っているという文章で、前者を使えば、彼女と面識はないがその名前を聞いたことはある、という意味になる。だが後者を用いれば、彼女に会っており、よく知っていることになる。

これまで、私は十数ヵ国訪ねた。はっきり言って少ない。それでも⑦、一年間メキシコに留学もした。だが、思い返せば、スラム街は危険だからと避け、屋台で売られているものは不衛生だからと食わず、乞食⑧は危険だからと近寄らず、ガイドブックで紹介されている知識や情報を確かめる、saberの旅をしていたに過ぎない。いわば、上澄み液をすくい取りご満悦⑨していたのだ。辺見は違う。彼は食を切り口に、濁液の中に入り込む⑩。そして、人びとの小さな語りを紡ぎあげ、人と社会を鮮やかに描き出す、conocerの旅だ。

私は幸運な人だと思う⑪。メキシコへ行く機会をもう一度手にしたのだ。今年の八月から一年間、メキシコ大学院大学（El Colegio de México）で研究する。研究だけで三百六十五日が過ぎるわけではない。東西南北、メキシコを知るため、いろいろな場所へ訪ねる⑫。その時の知るは、もはやsaberではない。conocerである。

▼最終稿は42頁をご覧ください。

⑥熟考→精通　などに
⑦けして少なくないと思います。そして、後ろの「だが」を活かすならば、逆説の「それでも」を入れない方がよいので、「はっきり言って少ない。それでも、」はカットしてしまってはどうでしょうか。
⑧「乞食」は差別用語とされ、「物乞い」が許容されています。
⑨自分のことなので、丁寧にせず「満悦」と。
⑩「濁液」なので「浸り込む」方がよいのでは。
⑪「幸運だと思う」もしくは「幸運な人間だと思う」とするのがいいと思います。
⑫訪ねる→訪ねようと思う

POINT

面白い始まり方で、冒頭からなぜスペイン語なんだろう…と気を惹かれ、最後にその理由が明かされている、うまい構成です。自分と本との関係性が明確に記されており、自身を書評の中に位置づけた、生き生きした文章が印象的でした。

●書評した本
石川 桂子編『竹久夢二詩画集』
●書評した人
近藤 里咲（二松學舍大学文学部国文学科1年）

あなたの生活に、詩はあるだろうか。営みや自然を切り取って表現することを詩作と言うのなら人々は皆、詩人になりうる。では詩作は何によって成るのであろうか。多くの場合、それは言葉によってであろう。しかしそれ以外の方法では詩を生み出せないのかと問われればきっとあなたは違うと言うだろう①。絵画や彫刻、音楽によっても世界や気持ちを切り取って表現することはできるからだ。『竹久夢二詩画集』は一人の手によって成った絵と言葉の二つの詩のタイプ②で構成されている稀有な③「詩集」である。

竹久夢二（以下、夢二）という名前を、日本人なら一度は聞いたことがあるのではないだろうか④。彼の描く美人画は夢二式美人⑤と言われ大正の時代を風靡し、現在では教科書に載るほどである。そんな彼が言葉による詩を書いていたことは意外に思われるかもしれないが、夢二はもともと言葉の詩人志望だったのである。ではなぜ絵による詩作が増えたのかと言えば、単純に⑥世の中に受け入れられや

編集部コメント

①「きっとあなたは違うと言うだろう」の「あなた」とはこの書評の読者ですよね。見えぬ読者に話しかける手法は、面白いとは思いますが、決めつけのようにも読めるので、ここは自分事として、例えば「決してそうではない」などと書き変えてはどうでしょうか。
②二つの詩のタイプ→二つのタイプの詩の方が分かりやすい。
③「稀有な」は言い過ぎかもしれません。捉え方によりますが、絵と言葉で構成された詩集は、多々あるからです。
④おっしゃる通り夢二は有名なので、このくだりはいらないと思います。なるべくシンプルに、伝える文章にしてください。
⑤強調のため、「夢二式美人」と括弧をつけましょう。
⑥「彼にとっては」と加えた方が明確。
⑦詩集として→詩集と

すかったのが絵の方だったからである。

夢二は過去を回想する中で「文字で詩をかくより形や色でかいた方が、私には近道のような気がしだして、いつの間にか絵をかくようになってしまった」(「私が歩いてきた道」)と言っている。「近道」というのは詩人になる近道だと考えて差し支えないだろう。彼は無意識のうちに絵による詩人の道に入っていったのである。

無論、言葉による詩作も続けており、著書五十七冊のうち三十冊に詩が含まれている。そのうち、純粋に⑦詩集として言えるのは五冊のみで、それにも挿絵が含まれている。⑧夢二の言葉も絵も、⑨彼の詩では切っても切れないものとして完成していたのではないだろうか。⑩その証拠に彼の逝去後、少女小説家の吉屋信子は「あの絵に付いた抒情詩には、どんなに影響されたでしょう」と述べている。

夢二の書く詩には、彼の描く詩から⑪想像できる御多分に洩れず、恋愛を謳ったものが多い。けれどもありふれた苦しみ、風景のあるがままを謳ったものの中にこそ、夢二の作品が持つ心の優しさ、切なさが表れるような気がする。⑫この非恋愛詩群の多くは単行本未収録のものであり、本書において編纂された。⑬その中の一つで私が好きなものを挙げる。「青い海越えはるばると」という詩である。「単行本未収録詩篇から」の最初のページに見開きで載っているこの詩

⑧ここに、前の事がらについて言い換える接続詞である「つまり」をいれると文脈のつながりがよくなります。
⑨彼の詩では→彼の詩にとっては
⑩吉屋信子の言葉を引いたのは、情報に広がりが生まれていいと思います。ただ、切っても切れないものとして完成していた「その証拠に」なるかは分かりません。この言葉を削っても、吉屋の言葉は効果的ですし、カットしてはどうでしょうか。
⑪「御多分に洩れず」は「世間の多くの例えや場合と同じように」といった意味なので、この文脈で使うのには違和感があります。平凡ですが、「彼の描く詩から想像できる御多分に洩れず」→「彼の描く詩と同じく」ではどうかと思いました。よりよい言葉を考えてみてください。
⑫語順を入れかえて、「本書において編纂された非恋愛詩群の多くは単行本未収録のものである」とすると文章がスムーズです。
⑬一文が長すぎない方がよかったり、ぶつぶつ切れすぎない方がよかったり、匙加減が難しいですが、たくさん書いて慣れていきましょう。「その中の一つで私が好きな、「青い海越えはるばると」という詩を挙げる」ではどうでしょうか。

は、絹本墨書淡彩という、黄土色の絹地に、墨で、上部に言葉が、その下三分の二を埋める大きさで、つぶらな目をした一匹の象が、抒情詩として描かれている。

青い海越えはるばると　　　　夢二

青い海越え
はるばると
日本の島へ
きた象は
何が悲しうて
泣きやるぞ。
かなしいのでは
ないけれど、
生まれ故郷が
なつかしい。

⑭ただ平坦にありのままを述べたこの詩は、シンプルだからこそ人にまっすぐに伝わると思う。夢二の絵としての詩も、言葉としての詩

⑭この詩が「ありのまま」なのか、という疑問です。本当に象が悲しくて泣いているのか(そもそも、ありのままなら「鳴」ではないか?)、生まれ故郷がなつかしいのは夢二の想像であり、自分の心中が投影されているのではないか、などと考えられます。また「平坦」は「平たい」「高低差がない」というような意味ですが、たとえば、「端的」とか「平明」などを使うのはどうだろうか、と考えました。ほかによい言葉があるか、考えてみてください。

⑮「確かだ」はいい過ぎ。「もちろんそれらの詩の中にも素晴らしいものはある」などとしては?

⑯夢二の詩が「あなたのそばにある」というのは、言いたいことは分かるのですが、それでも決めつけではないかと思います。「私のそばにあって」ならば、何の問題もありませんので、その方がいいのではないでしょうか。

⑰具現化→具象化
具現化：物事や目標を実現すること、アイディアや考えを実現したり、実際に生み出すこと
具象化：姿のある具体的な形を表すこと

もその点においては同じである。世に溢れる装飾過多な婉曲した言葉や絵は本質が見えにくい。⑮もちろんそれらの持つ詩も素晴らしいことは確かだ、けれどもいつも本当とは何かを探して回るのは疲れてしまわないだろうか。夢二の詩はいつもあなたのそばにあって、⑯⑰具現化されていなかったものだ。⑱あなた自身と直接触れ合うためにも夢二の詩に触れてみてはいかがだろうか。

⑱同じように、「あなた自身と直接触れ合うためにも」は、誰もが同じように、夢二に共感するとは限らないので、たとえば「読者は、夢二の詩に触れることで、気づかなかった自分自身に触れることができる、かもしれない」ぐらいにニュアンスを和らげる方が、読者の心に届くのではないかと思うのですがいかがでしょうか。

▼最終稿は48頁をご覧ください。

POINT

「言葉による詩」と「絵による詩」に注目したところ、この書評のポイントですね。よく書けていると思います。ただ読者の誰もが近藤さんと同じ気持ちで、作品を捉えるとは限らないので、「あなた」と「私」を切り分けて、あくまで近藤さんの書評として書き切った方がいいと感じたところがありました。個々にコメントをつけていますので、ご確認いただければと思います。

●書評した本
島﨑 裕子著『人身売買と貧困の女性化』
●書評した人
掛端 凌雅（日本大学法学部政治経済学科２年）

①著者島﨑裕子氏は、この著書を通して読者に「平和」について問いかけている。まず、②「『平和』とは何なのか？」それを思い浮かべて欲しい。③戦争が無い事＝平和と定義しなかっただろうか。

④そもそも、著書の題名にも記されている「構造的暴力」とは何なのか？　それは「社会の不平等や格差、差別や偏見、貧困」の中に生まれる、社会構造から発生する「暴力」である。正にこの著書では、カンボジアに於ける「貧困」や「人身売買」の中に見出される「構造的暴力」について書かれている。皆さんは、この二文では正確に「構造的暴力」を理解できないであろう。この著書を読み、皆さんの触れた事の無いであろう「暴力」について理解を深める一つの機会にして貰いたい。⑤

⑥島﨑氏はヨハン・ガルトゥング（John Galtung）の定義する「構造的暴力」が無い事を、「平和」として扱っている。ガルトゥングは、著書『構造的暴力と平和』で広く知られている社会学者で、「平和

編集部コメント

①タイトルを見ただけでは「平和」について問いかけていることは分からないので、一文目が少々唐突なように感じられます。そのことを自覚していますよ、というアクションとして冒頭に「いきなり結論を述べてしまうが、」などと加えてはどうでしょうか。また、書評に取り上げている段階で、著者名は自明なので書かずに「著者」とのみ、同時に間違っているわけではないのですが、文章内統一で、「著書」→「本書」と記してはいかがでしょう。

②一文目がやや唐突な上に、「『平和』とは何なのか？」と問いかけがくると、展開が早すぎる気がします。段階を踏んで柔らかく話を進めるためにも、「ここで改めて考えてみて欲しい。「平和」とは何なのか？」というように、一文を挟んでから、問いを投げかけるという流れがいいのではないでしょうか。

学の父」と言われている。⑦この書評を読んで下さっている多くの皆さんが想像したであろう「戦争が無い事」、ガルトゥングはこれを「直接的暴力」の不在とし、それだけでは「平和」とはならないとしている。勿論、島﨑氏もその立場だ。

⑧平和を目指すべく、国際社会から「貧困」を無くさねばならないのは言うまでもない。その「貧困」の原因について、島﨑氏はアマルティア・セン（Amartya Sen）の考えを用いている。⑨センは、著書『貧困と飢餓』や『不平等の再検討』で知られる経済学者で、島﨑氏の「貧困」の解決方法の考えに大きな影響を与えているように思われる。

ガルトゥングやセンといった、国際的な⑩オーソリティーに触れられるだけでも、この著書には十分な価値があると言えるであろう。しかし、この著書にはそれ以上に価値のある部分がある。それが、現地の人間の意見⑪に目を通せることだ。島﨑氏は長期間のカンボジアでのフィールドワークで、「構造的暴力」を受けている被害者に対して聞き取り調査を行っている。例えば、父親が失業によりアルコール依存となり失踪してしまった家庭の次女、マネットさん。⑫外国の売春宿での出稼ぎの経緯や被害などが語られている。著書には、⑬マネットさんを含む計8つの聞き取り調査が掲載されている。現在、

③細かいところですが、「平和とは」と問いかけているので、「平和＝戦争が無い事」という語順にした方がよいかと。
④ここも前段とのつなぎのために、「そもそも、平和について考える前に」と言葉を補うといいかと思います。
⑤「構造的暴力」は端的に説明できるようなものではないことを伝えたかったのだと思いますが、この書き方だと説明することを放棄しているようにも見えてしまいます。書評を読んだ結果として、本に興味を持ってくれる人がいれば大成功ですが、押し売りするものではないのです。ここはカットしていいと思います。
⑥島﨑氏→著者
⑦これは掛端さんの想像の域をでないので、カット。
⑧本書を読んでいない読者のために、丁寧に言葉を加えましょう。「平和を目指すべく、国際社会から「構造的暴力」をなくすためには、その根源となる「貧困」を無くさねばならない、ということになるのだが」など。
⑨いる→説明する
⑩オーソリティーに→オーソリティーの思考に
⑪に目を通せる→を知ることができる

日本の外務省は、カンボジアを危険レベル１（危険を避け、十分な注意が必要なレベル）に設定している為、カンボジアには行きづらい又は行きたくないという人も、少なからずいるはずだ。もしカンボジアに観光目的で行く事があっても、⑭何のオーソリティーも無い私たち一般人が、現地で聞き取り調査をするのは困難を極める。実際に自分で現地へ足を運び、聞き取り調査が出来ないあなたは、この著書を手に取る価値に気付けるはずだ。

⑮そして島崎氏は、既存の考えや事実を列挙しているだけではない。第５章、第６章で、島崎氏の「構造的暴力」からの脱却の方法が記される。その方法が、単なるＮＧＯやその他非国家アクターによる外部支援ではない事に驚かされるであろう。勿論、支援が必要である事は所与の事実だが、その支援の仕方に注視すべき点がある。

島崎氏を始めとするオーソリティーのある学者らの考えと現地の声を基に、あなたの「平和」に対する思考が直感的な物ではなく、確かなる物になる事を望む。

▼最終稿は50頁をご覧ください。

⑫全文とのつながりを考えると、「彼女は」を主語に、「外国の売春宿での出稼ぎの経緯や被害などを語っている」としては。

⑬マネットさんを含む→マネットさんの語りを含む

⑭何のオーソリティーも無い→何のツテも知識も無い

⑮ここは「そして」より強調された添加の助動詞である「さらに」の方がうまくはまりそうな気がします。

POINT

この書評の構造は「平和って何だろう」というところから、平和を妨げるものについて、その原点まで遡っていくようなかたちが取られていて、面白いと思います。その過程で、「構造的暴力」が説明され、その根源に「貧困」があることが書かれ、貧困の実態に辿りつく。この流れを、本書を読んでいない読者が理解できるように、多少、文の順序を入れ替えたり、言葉を加えたり、削除したりする必要があると思いました。また私が少し気になるのは、タイトルの中にある「貧困の女性化」という言葉です。貧困の女性化とは何でしょう？　明確な答えでなくていいので、たとえば「貧困」の実態について、聞き取り調査に対する掛端さんの感想を、一言加えてみてはいかがでしょうか。

●書評した本
北条 かや著『整形した女は幸せになっているのか』
●書評した人
松野 夏輝（甲南女子大学医療栄養学部2年）

高校生の頃、通学中に知らない人から「おい、ブス」と声をかけられた。相手は同年代くらいの異性だったと思う。べそをかきながら学校に行った、苦い思い出だ。①

その経験から、私は「整形した女は幸せになっているのか」②を手に取った。世の中顔が全てだと言うが、果たして本当なのか。③人は見た目じゃないという言葉もある。④その真実を知りたくない人はきっといないだろう。⑤

近年、整形は日本の若者にとってカジュアルなものになりつつある。実際、SNSを覗けば整形垢⑥なるものが存在し、YouTubeでは整形アイドルが人気を博している。ある女優が番組⑦で整形を公にしたのも記憶に新しい。

整形とは何だろう。⑧表紙に大きく書かれているように、女性を幸せにしてくれるものなのか。私はその答えを求めてページを開いた。

本書は現代の整形の問題、インタビューを交えた女性たちの本音、

編集部コメント

①インパクトがあり、本書を手に取った理由もよくわかる、いい導入だと思います。

②この本を書評していることは自明なので、本文中では繰り返さず「本書」とするといいでしょう。

③そのすぐ後に、真逆の意見も出てくるので、「本当なのか」ではうまくつながらない。「真偽はいかがか」とした方がいい。

④格言というわけではないので、「ともいわれる」ぐらいの方がふさわしいです。

⑤「きっといない」では強すぎる気がします。「その真実を知りたい人は、多いのではないか」ではどうでしょうか。

⑥「整形垢」という言葉を知らない人のために、説明を加えては？「「整形垢」なる美容整形経験のある女性たちのツイッターアカウント」など。

⑦「テレビ番組」などにすると明確です。

⑧「整形とは何だろう」には答えが出ますよね（形を整えて正常にすること）。松野さんが言いたいのは「整形とは人間にとってどういう意味がある行為なのか」ということだと思います。明確な表現に

流行の美しい顔に至るまで、整形を様々な観点で切り取った一冊だ。そこに議論の不毛さや不明瞭さは一切無い。著者は淡々と事実にメスを入れていく。⑨

読めば読むほど、自分の整形に対する価値観が変わっていった。本書を読むまで、私は整形には断固反対だった。傷のない顔にメスを入れるという行為や、目に一番見える部分が変化するという事が自然の摂理に反すると感じたからだ。

しかし、著者の描き出す整形した人々に、意外なほど明るいイメージを感じた。いじめられたから、自分の顔を馬鹿にされたから、と暗い動機で整形する人もいたが、どの女性も「今よりも美しく」と自分の価値を高める行為として整形を利用している。

その中でも特に刺さったのはこの言葉だ。

「綺麗になるために努力して、何がいけないの?」

これは自身の整形に何千万という費用をつぎ込む女性、ヴァニラさんの言葉だ。シンプルながらもハッとさせられた。⑩全女性の美しくなりたいという気持ちは一緒のはずなのに、差別していた自分がものすごく恥ずかしかった。よくわからないから目を背けて、よくわからないから暗いイメージを頭の中に植え付けていた。私達が考えねばならないのは「整形の善悪」ではない。その向こう側にある、

---

⑨書評は「概要+批評」で成り立ちますが、この書評は全体に「概要」が少ないです。ここではもう少ししっかり本書の概要をまとめてください。具体的にどんなことが書かれているのか、章立てはどうなっているのか、未読の方にも伝わるようにしてみてください。

⑩こういう全てを一括りにするような言葉は、注意深く使ってください。本当に全女性が美しくなりたいと思っているか、そうは言い切れないのではないでしょうか。たとえば「美しくなりたいという気持ちは私とも一緒のはずなのに」「整形していようがいまいが、美しくなりたいという気持ちは同じはずなのに」などとすると、回避できます。

⑪言葉を分解して、表現を変えてみると、「世間」と「時代の流れ」がイコールで結ばれないことが分かると思います(「世間(世の中、社会)」という「時代の流れ(ある長い年月の変化、潮流の変遷)」だ)。「奇麗になりたい。その思いの根底にあるのは、目には見えない世間の評価だ」あるいは「世間の圧力だ」というような方が、言いたいことに近いのではないかと感じます。

⑫ここも断定しない方がいいですね。また本書を読むと、その対象は決して若者だけでなく、加齢との闘いについても書かれています。ここも自分の表現を模索してください。

「整形を行う根底にあるものは何なのか」ということだ。

私は本書を読んだことで、その正体が見えた気がする。綺麗になりたい。その思いの根底にあるのは⑪「世間」という、目には見えない時代の流れだ。

今、⑫若者は美に苦しめられている。SNSには美しい顔が並び、何万もの「いいね！」がつく。⑬他人と幸せが簡単に比べられる時代になった。彼氏がいるか、お金持ちか、そして顔やプロポーションが美しいかどうか。もし少しでも欠点があれば、匿名性を盾にして、皆口々勝手に言い出す。多数の人が同調すれば、あっという間に燃え広がる。
⑭誰もが「あの顔になりたい」と憧れたり、羨んだり、嫉妬した経験があるはずだ。本書を読めば自分の顔や美への価値観に向きあわずにはいられない。
著者はあえて、整形を肯定も否定もしていない。答えはひとりひとりの倫理観と価値観に委ねられている。彼女は、ただまっすぐに私たち読者に問いかけてくる。

いま、あなたは幸せですか？

▼最終稿は108頁をご覧ください。

⑬確かにSNSで生活を覗き見て、自分の生活と比べてしまうのだと思いますが、それは非常に表面的なもので、本当の意味で、真実の他人の生活を理解することも、自分の生活とどちらが幸せか比べることも、できないと思います。たとえば「SNSの発信を通して、他人の幸せを自分の生活と、日々比べてしまうような時代になった」というように、「簡単に」という言葉を使わない表現にしてはどうでしょうか。
⑭誰もが→多くの人が　としては？

POINT

「整形を行う根底にあるもの」として、世間を挙げるのは妥当だと思うのですが、世間の圧力を受けとった女性たちの中に、どんな思いや欲求が起ってくるのか、また整形を選ばない人、整形を選んだ人のその後に何が起こってきているのか、そういうところまで本書には書かれているので、もう一歩踏み込めたらいい書評になるのではないかと思います。最後の「本書を読めば自分の顔や美への価値観に向きあわずにはいられない」という指摘もいいと思いましたが、そう感じさせるのは、本書のどういう内容によるのか、それを書評の中で紹介してもらえたら、この結論が未読の読者にも受け取りやすくなります。全体に思うのは、自分の意見をうまくまとめられていたということ、そして概要が足りないということです。「整形」という一見俗なテーマだけに、本書がしっかりとしたデータや調査からなる一冊であることを、概要を書くことで伝えて欲しいと思います。

あなたの**書評**が**新聞**に載るビッグチャンス！

書評キャンパス 2021 執筆者大募集

本が好き！
新聞に名前を残したい！
自分の文章力を試したい！
どんな動機でもかまいません。
学生時代の思い出づくりに
一歩踏み出してみませんか？
あなたの書いた書評が
誰かに人生を変える本との出会いを
もたらすかもしれません。

お問い合わせ先

株式会社読書人　書評キャンパス担当
TEL03-5244-5975（平日9：30～17：30）
email : campus@dokushojin.co.jp

第3部

書評キャンパス
スピンオフ

◇第二十一回図書館総合展 「大学生は本を読む」トークセッション& 「本を読む／書く／考える」ミニ講座　レポート

二〇一九年十一月十二日から十四日までパシフィコ横浜にて開催された、第二十一回図書館総合展に（株）読書人も出展し、「書評キャンパス」に参加した三名の学生との「大学生は本を読む」と題したトークセッションと、「本を読む／書く／考える」についてのミニ講座を行った。トークセッションに登壇したのは、石川裕也さん（大東文化大学文学部日本文学科4年）、初芝里帆さん（二松學舍大学文学部国文科3年）、三浦昂太さん（上智大学理工学部情報理工学科4年）、司会は読書人編集部・角南範子が務めた。また「本を読む／書く／考える」ミニ講座は、週刊読書人編集長・明石健五が行った。（※学年はイベント当時）。

＊

【第一部：トークセッション】

――書評キャンパスを担当している角南といいます。通常は、学生からメールで書評をもらい、それにコメントをつけて送り、コメントに則して第二稿に仕立ててもらい、掲載するという文書を通じてのやりとりなのですが、今回ようやく直に会えました。

でも文字だけの付き合いとはいえ、三浦くんの書評はツカミから面白かったなとか、初芝さんはコメントに応えていい第二稿に仕立ててくれたなとか、石川くんはほとんどなおすところがなかったな、とか不思議に克明に覚えているんです。書評を通してのやりとりは、私にとって密なものだと感じています。

ここから三人に話をきいていきたいと思うのですが、まずは自己紹介がわりに、いま一番時間を割いて取り組んでいることについて、また書評キャンパスではどういう本を取り上げたかということを、それぞれ話してもらえますか。

石川　四年なので、卒業論文に必死に取り組んでいます。専門は日本近世文学で、江戸時代の文学を図書館で借りたりしています。

——具体的には、何という本ですか。

石川　伊藤慎吾著『擬人化と異類合戦の文芸史』です。擬人化した物どうしが闘うという話です。

書評キャンパスに取り上げたのは、小山鉄郎さんの『文学はおいしい。』という本で、文学の中に出てくる料理を百種類、取り上げて紹介するコラム集です。大学図書館の新着図書コーナーでタイトルを見て惹かれて、中を見たらハルノ宵子さんの挿絵もよかったので、直観的に選びました。

石川裕也さん

初芝　私がいま一番時間を割いているのは、ゼミの課題です。現代文学のゼミナールですが、作家の津村記久子さんと小山田浩子さんの作品を読んで、女性の生きづらさや格差社会などについて、討論を重ねています。

初芝里帆さん

書評キャンパスで扱ったのは荒井裕樹『差別されてる自覚はあるか　横田弘と青い芝の会「行動綱領」』という、一九七〇年代の障害者運動、障害者文学についての本です。障害者自身が町に出て、声を上げ、自分たちの生きる権利を獲得していった、その軌跡を追った本ですが、著者はゼミの先生で力を込めて書評しました。

三浦　私はゲームクリエイターで、ゲーム作りやゲームをプレイすることに力を注いでいます。昨日も深夜二時ぐらいまでゲームしていました。

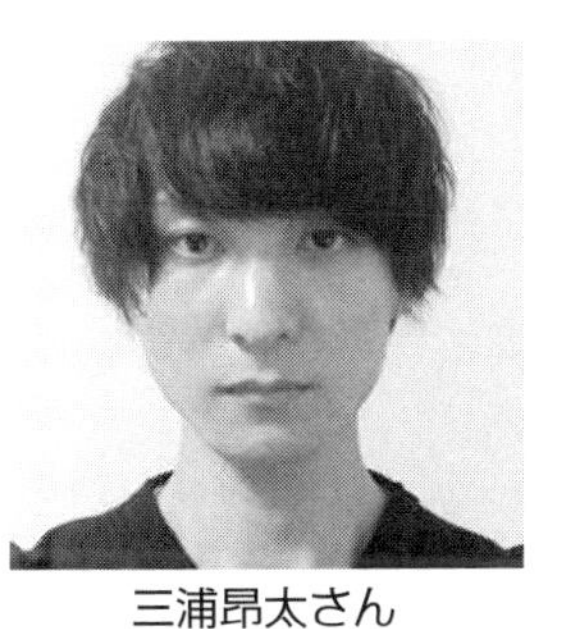

三浦昂太さん

書評キャンパスで取り上げた本

は、『ゲームプランとデザインの教科書　ぼくらのゲームの作り方』というゲーム制作の技術書です。普段からゲームや通信関係の本をよく読みます。

――三者三様、選ぶ本の種類も違うし、取り組んでいることも違いますね。私が学生のときは、本は娯楽として読むことが多かったのですが、皆さんにとっての本の存在とはどんなものなのか。ほかのいい方をすると、本によって何を得たいと思っているか、その辺りを教えてください。

石川　私にとって本とは、新しい知識を入れるもの、というのが一番です。自分の中になかった考えや価値観、自分の専門外の知識、そういったものを得て、自分の世界を広げていけるものが、本ではないかと考えています。

――よく読む本のジャンルはなんですか。

石川　特に決めていなくて、目に留まったものを読もうと思っているのですが。

――結果として読み物系が多いですか?

石川　そうですね、小説が多い。

初芝　私はビジネス書や自己啓発書をよく読みます。父が自営業で、その影響かもしれません。父の本棚にある本を、小学生のときから読んでいました。小説はお守りみたいにじっくり読んで、同じ本を三種類持っていたりもするのですが、ビジネス書は先ほど石川くんがいっていたような、情報を得るために、全て読むというのでもなく、マーカーを引きながら大事だと思うところだけ切り取って、スクラップしたりしています。

三浦　私はゲームの技術書をよく読むのですが、中でもゲーム業界の著名人の本を読みます。そういう人たちが、どんなことを考えてゲームを作ったのかを知りたいので。例えば『スーパーマリオブラザーズ』というゲームがなぜ面白いのか、制作者はどんなことを伝えたいと思って作ったのか、そういうことが知りたくて本を手に取ります。

――皆さんは、どちらかというと知識や情報を得るために本を使っているんですね。私は本というと思い浮かべるのは紙媒体なのですが、皆さんとっての本は、紙ですか?

（三人、頷く）

――では、情報はネットでも得られると思うのですが、紙の本を手に取るのはなぜですか。

石川　電子画面を見続けるのでは、集中しづらいし没入感もない、読んでいて疲れます。ページを捲る感覚や本の重みなど、物質的な面も含めて、作品の一部として感じながら読むのが好きです。

三浦　僕も紙で読むのですが、普段から液晶のデバイスに触れることが多いので、本を読むときぐらいは目が疲れないようにしたいという気持ちがあります。

――目が疲れなければ、紙じゃなくていい？

三浦　そうですね。ただ、最新のニュースを知りたいときは、スマホの方が早いですしふさわしい。じっくりと情報を仕入れるときは、紙の本かなと思います。

初芝　私は、紙媒体は残る、と思っています。大学に入って最初に教えられたのは、世の中に出回っている情報の不確かさでした。ネットで多くの情報を見ることができますが、虚偽の不確かな記事を書き、アフィリエーターとして閲覧数でお金を稼ぐような人もいます。そういう情報に触れることには抵抗があります。書評キャンパスで、原稿にたくさん赤を入れてもらって、本というものがそういうやりとりの中で、たくさんの目が入って、外に出て来るものだと実感できました。

――いま、書評キャンパスの話が出たのですが、今回たぶん皆はじめて書評を書いたと思います。本を読むのと文章を書くのとで、自分に響いてくるものとか、体の動きとか、何か違ったでしょうか。書くことと読むこととは、同じく文字を使う行為ですが。

石川　違いました。読むときは受動的で、とりあえず受け入れるだけでいいのですが、書くとなるとかなり頭を使わなければならなかった。使うカロリーが違うと感じました。

初芝　最初に書評を書いたときに、要約にしかならなくて。いつもの感じでさらっと読むだけでは、何か書こうとしても単なる要約になってしまうんです。自分に考えがないこと、意見をもつことの難しさを意識しました。

三浦　本を読むのとゲームをプレイするのは、だいぶ感覚が違うんですが、文章を書くのとゲームを作るのは、似ているように思いました。書評を書くとき、最初に誰に読んでもらうか、ターゲットを考えるところから始めました。自分の選んだのはゲームに関する本だったので、ゲーム好きをターゲットに設定して、そういう人たちは何に目を引くだろうかとか、どこに面白さを感じて、どう紹介すればこの本を読んでくれるか、というようなことを考えました。僕にとっては、ゲームを作るときと同じような思考で書きました。

——学生さんの書評を読んでいるときに感じるのは、本に対して共感した、よく分かったという鑑賞が多いということ。それが悪いわけではないのですが、もしかすると本を読む意味というのは、自分とは違う意見や価値観に出合えることなのではないかなと。自分とは全く違う意見だけれど、そういう考え方もあるのかと知る。そして自分の考えが少し変わる、というような瞬間に出合えるのが、本の醍醐味なのではないか、と思うんです。書評キャンパスを通して、そういうことを伝えたいと思いながら、なかなか伝えられていないのですが。

それで皆さんに聞きたいのは、ちょっと難しい質問かもしれませんが、本をきっかけに感じ方が変わった体験や、本に強い衝撃を受けた体験、そういうことがこれまでであったなら教えてください。

三浦　僕は、そういう経験がありました。「ドラゴンクエスト」シリーズの生みの親の堀井雄二さんが、『ゼルダの伝説　ブレス　オブ　ザ　ワイルド』について書いたものを読んだときです。このゲームは一千万本も売れている人気のタイトルで、一般的には、自由度が高いという理由で面白いといわれているんです。でも実際、自由度が高いゲームというのは、そこらじゅうにあるんですよ。そういったゲームは自由度があって、なおかつ退屈です。なぜ『ゼルダ』は面白くて、ほかの自由度が高いゲームはつまらないのか。堀井雄二さんは、『ゼルダ』はズルができるから面白いと。その言葉に、ズルができるということを人間は楽しく思うのか、『ゼルダ』には攻略目標に対していろいろな解決方法があるんだ、と気づき、自分の作るゲームに生かしたいと思いました。

初芝　私は今回の書評で書いた本に衝撃を受けたのですが、それが「大きな主語で語らない」という言葉でした。「日本は」とか、「社会は」という主語で、まるで自分が日本や社会の代表かのように語るのではなくて、自分はどう考えているのか、あなたがどう思うのかを語るべきだ、と。そんなふうに発言の責任の所在が曖昧になることが世の中には多いということに気づかされました。

石川　私は古典を読んでいるときに驚くことがあります。例えば、江戸時代の黄表紙では、そばとうどんが闘っていたりします。そんな荒唐無稽なものが多くの人に好まれて、楽しまれていたりする。現代の純文学などは、どこか堅苦しい印象があるのですが、こういう論理的でないふざけた物語もあっていいのだと、古典を読むことで感じることができます。

――図書館総合展なので、図書館についても聞いてみたいと思います。本はどのように手にとることが多いのか。またズバリ、図書館を使いますか、使いませんか。

三浦　僕は、読みたい本のジャンルがゲームと決まっているので、書店でもゲーム本のおいてあるところに足を運びます。図書館は基本的に使いません。自分の読みたい本は、図書館におかれていないからです。読みたい本は本屋で買って、家か喫茶店で読みます。

――図書館がどんなふうならば、使いたいですか。

三浦　具体的なイメージがあるわけではないですが、図書館は集中して本が読める場所、という価値観があると思うのですが、最近ではカフェが本屋に併設されていたり、ほかにも本を読む環境が整っています。それを超えるような、図書館に本を読む洗練された環境があれば、足を運ぶのではないかと思います。

初芝　大学の図書館は、雑誌を読むかパソコンを利用するかのどちらかで、本を読む場所としては使っていないです。通常は、アマゾンプライムで本を買って、家で読むというのが定着しています。

――図書館にこういうものがあったら使いたいということはありますか。

初芝　イベントを開いて欲しい。大学や図書館の力で、著者の方を呼んでもらったら、話を聞きに行きたいです。

石川　私は、普通に図書館で検索して本を借りています。ただ、図書館に欲しいサービスということでいえば、もっと図書館に備わっている機能を、図書館側から知らせてほしい。そうでないと、学生は何も知らないまま、四年間を過ごして卒業してしまう。私は司書課程で図書館のことを多少学んでいるのですが、他の学生たちの中に、レファレンスコーナーを知っている人が何人いるのか。学生が大学図書館を使わない理由は、情報が届いてないからというところが大きいのではないかと思います。またそれらのお知らせが、パソコンでしか受け取れなかったり、図書館に足を運ばないと知ることができないという不便さがあります。学生は九〇％以上スマホを持っていますが、スマホで新着図書情報が受けられるとか、いまは全てメールベースなので、スマホでも利用できるサービスを作ってくれれば、もっと利用するのではないかと思います。

――次は我々、書評紙「週刊読書人」に向けて、意見をもらいたいのですが。この場は「大学生は本を読む」というタイトルで進めているのですが、世の中的には、学生は本を読まないとか、活字離れといわれています。そのような状況の中で、書評がどうあれば、もっと読書の助けになるか、率直な意見を聞かせてください。実際に書評を書いてみてどう思ったか、ということでもいいです。

石川　書いてみた感想は、難しかったです。一番力を入れたのは、主観と客観のバランスの構成。主観的すぎると感想文のようになりますし、客観的すぎるのは、単に本のデータでよいということになってしまう。それらをバランスよく配置して、またスムーズに読めるように構成することに力を注ぎました。

書評はもっと身近に置いてもらえれば、助けになるかなと思いますね。新聞を購読している人も減っていますし、書評自体、図書館に行かなければ読めないとなると、学生はなかなか目にしないので。

三浦　探さなければ見つけられない、というのが大きな問題ですよね。「書評キャンパス」もそうですが、辿りつこうと意図しなければ、辿りつけない構造になっている。スマートフォンの次のデバイスは、メガネ型か網膜投影か、ＡＲの時代がおそらくくると思うので、例えば図書館にいったときに、本を見たら書評の情報がパッと映るような、そんなふうにデバイスを生かせれば、書評ももっと使うことができるのではないかと思います。

初芝　私は今回書いてみるまで、書評とは何か分かっていなくて、本を読んで、そこから得た自分の考えを書くものなのだと初めて知りました。これまで本を選ぶときに、ネット上のレビューなどを検索して薄いコメントを参考にしていたのですが、書評というものはこんなにしっかり読んで、しっかり書かれたものなのかと。

普段ニュースを読むのに、NewsPicksのアプリを使っていますが、一つのニュースに対して、著名人のコメントなどがついてくるんです。さらに、それを読んだ一般の人もコメントを書いて、一つの情報に相方向性が生まれています。書評もそんなふうになれば、面白いのではないかと思います。一つの作品を読み込んだ人の意見が書かれ、それが共有されることによって、いろんな意見が集まって、またそれが共有されて……そうなったら、読書というものが本質的に深まっていくのではないか、と思いました。

――最後に今後三人はどのような方向に進みたいと考えているのかということと、図書館や読書人に対して、逆質問があったらいってください。

石川　私は進学するので少し先の話になりますが、図書館に勤められたらと思っています。自分が不便だと思ったところは改善して、もっと図書館を使ってもらえるようにしたいです。

初芝　私は言葉が好きなので、将来、本を書きたいとか、広告業界でキャッチコピーを書く人になりたい、とか漠然と考えています。

三浦　私は学生時代からゲーム会社で働いていて、卒業後もゲーム会社で働くので、このままゲームづくりの道を進み続けて、ゆくゆくは世界一のゲームを作りたいと思っています。

逆質問としては、出版業界にアナログなイメージをもっているのですが、その上で、今後出版業界は5G化にどう対応していくのかを聞きたいです。

明石編集長　僕はデジタルなデバイスに縁遠い人間ですし、ゲーム業界に比べたら、確かに出版業界は遅れていると思います。5G化については、真剣に考えている人は少ないのではないか。今の出版界は「泥舟」かもしれません。でもそれに乗って隣の島まで行って、そこに木々が生い茂っていれば、いかだを作り、またもう少し遠くの島まで行くことができる。その島で仲間ができれば、一緒に舟を作って、さらに大きな島、あるいは大陸に辿りつけるかもしれない。そんなふうに、少しずつ進んでいけば、オードリー・タンのような人物に出会い、話が一気に進むかもしれないと（笑）、楽観的に考えているところもあります。

石川　今回は「学生は本を読む」というイベントですが、それは読まない学生がいる、という前提があってのことだと思います。でも、学生だけでなく、本を読まない大人もいます。そういう大人たちはより本から離れていると思うのですが、それに対して考えていることがあれば教えていただければ。

明石　確かに、おそらく学生より大人の方が、忙しいし本を読まない人が多いですよね。今日も電車できましたが、ほとんど本を読んでいる人はいない。新聞を読んでいる人もいない。だいたい見ているのはスマホですよね。たまに本を読んでいる人がいると、今日は一日いいことがありそうだと思うんですよね。二〇一一年三月の後、本を読んでいる人が少し増えたんです。理由は分からないけど、人は窮地に陥ったり不安になると、本に戻るのではないか。そう信じて書評新聞を作っています。不安や危機感をもったときに最後に本に戻る、そう信じて、地道にいい本を取り上げて、伝え続けていくしかないと思っています。

――最後に一言ずつお願いします。

三浦　僕はデジタルな業界にいますが、本は好きで、今後も読み続けていくと思います。今後どんな本が出るのか、ワクワクしています。

初芝　私も本が好きなので、ずっと紙の本を持ち続けると思います。スマホを持っているより、本を持ってる方がかっこいいよね、と友だちとも話してます。本は読むだけのものじゃなくて、例えばインテリアなどとしての価値が広がっていくのかもしれない。いろいろなことを考えています。

石川　図書館の司書課程で勉強していて感じるのは、図書館は、本を扱う場所ではないのではないか、ということです。図書館は情報を扱う、情報発信センターではないか。本を読まないから図書館に行かないという人が多いと思いますが、図書館はそれだけの場所ではないと思うんです。いろいろなサービスがあるし、就職に関する本など実用的なものもある。便利な施設だということを、もっと知ってもらいたい。図書館のPRと、図書館サービスのスピードが上がることに、期待したいです。

【第二部・「本を読む／書く／考える」ミニ講演／週刊読書人編集長・明石健五】

明石　今日は「本を読む／書く／考える」ということについて、時間の関係でダイジェストで話したいと思います。

数年前から大学などで講義に呼ばれて、「書く」ということについて、編集者の立場から教えてくれないかという依頼を受けるようになりました。それで改めて、文章を書く、表現するにはどうしたらいいか、考えるようになりました。

まずいっておきたいのは、「文章がうまくなるための早道はない」ということです。もちろん書くためのテクニックはあります。書店に行けば、論文の書き方や、レポートの書き方など、テクニックを紹介した本はたくさん見つかります。でも僕が話したいのは、書くためのテクニックではなくて、もっと本質的な「書く」とはどういうことなのか、ということです。

凡庸に聞こえるかもしれませんが、書くためには「読むこと」が必要です。先ほど学生さんたちは、情報を仕入れるために本を読む、といいましたが、その目的ならばインターネットには敵わない。

私は、「ジャパンナレッジ」という辞書・辞典の検索サイトを利用しています。常にこのサイトを立ち上げておいて、分からない言葉が出てきたら、これで引く。五〇以上の事典・辞書が同時に検索できますから、非常に便利です。こうしたサイトの利点には、アナログの「本」はまったく太刀打ちできない、と思います。

本は情報を仕入れるためだけにあるのではないと思っています。というのも、ものによりますが、著者が十数年間かけて書いたという本があります。その間、著者は結論が分かって書いているのではなくて、何かに疑問をもち、あるいはあるテーマ／事柄に興味をもち、謎を解明したり、探究したり、思考を深めたりしていく。紆余曲折、考え続けながら、十数年かけて書くわけです。つまり書き上がった本には、著者の思考の軌跡が現われてくる。こうした著者の思考の軌跡を、本を読むことで読者は追体験するわけです。

思考の軌跡を追体験するということは、つまり著者と共に物を考える、ということです。この過程が重要なのです。

なぜ本を読むのか。本というのは「考える」ためにあるのではないか。本を読み、未知なるものと出会い、衝撃を受ける。そして何かしら心が動かされ、そこから思考する。もしかしたら著者のいうことに同意できないこともあるだろうし、反対にいいことをいっていると感動することもあるかもしれない。その全てをひっくるめて、著者と共に考える。そういう体験を繰り返し、読み、考えることが大事なのだと思っています。

ただ、それを頭の中で考えただけでは、一つの考えとしてまとまり得ない。自分の考えとしてまとめるためには、やはり「書く」ことが必要になってきます。頭の中で考えたことを、箇条書きでも文章にするでも、書き出すことで、思考が固まっていくというのでしょうか。

自分がいいと思ったものは、人に伝えたくなるのが、人間だと思うんです。友達に対してでも、ブログでもいいのですが、誰かに伝えたいという思いが生まれたときに、内なる言葉としてふつふつとわき上がってくる。話すのと、書くのとでは、同じ言葉でもちょっと違うのですが、これについては今回は時間の関係で割愛します。

小説家の山田詠美さんは、友人で同じく小説家の奥泉光さんとよく話をするそうですが、奥泉さんがいうには、小説家は物語を書いて終わりではないと。読者に読んでもらってこそ、小説は完成する。

僕は書評紙の編集者なので、その少し先まで考えたいのですが、完成された作品なり本なりが、読書会でもいいですし、あるいは書評でも、いろいろな人によって語り合われ、考えられる。著者の手を離れたときに、本はまた違ったステージに上がるのだと思います。

繰り返しますが、書くためには読まなければいけない。読むということは、著者といっしょに自分も考えることである。読み／考えたことを人に伝える、そのためには文章を書く。この繰り返しでしか、文章が上達する道はないということです。そして、このトライアングルの中で、思考する力も鍛えられていく。

読み方はいろいろありますが、知り合いの新宿区の図書館員の方は、本の目次をコピーして、そこにメモをすることで、読書ノートのように残していくという方法をとっています。目次は本の骨組みのようなもので、著者の思考の軌跡がダイジェストに表れているものです。それに沿って読書メモを入れていくというのは、一つの方法として面白いですよね。

「書くこと」「読むこと」「思考すること」、この三つの言葉を結ぶと「三角形」ができます。この三つは、それぞれが互いに密接に結びついています。書くためにはどうすればいいか、本を読まなければならない。本を読むこととは、それに触発されて思考することである。そして思考したことを、人に伝えるために「文章を書く」。つまり「書く（人に伝える）」という行為は、「読むこと」と「思考する」ことに支えられているということです。

＊

本を読むときに重要なのは、全部理解できなくていい、ということ。本を一度目に読むときは、三～四割分かればいいのではないかと思っています。その時点で、自分には理解力が足りないとか、読む力がないと思うと、読書を続けるのがキツくなりますよね。でも著者が十年かけて著したものを、数日で読んで分かるわけがないんです。それは二度目に読んだときに、五割分かるようになるかもしれないし、三度読んだら六割になるかもしれないし、十年後に七割になるかもしれない。いますぐ分かろうと思うと、本を読むことが苦しくなってしまいます。

ジル・ドゥルーズという二〇世紀を代表するフランスの哲学者が、あるロングインタビューの中で、「遅れてやってくる効果」ということについて述べています。「すぐにその場で分からなくてもいい。分からないからといって焦ってすぐに質問などしなくていい。最初から最後まで、何もかも分かる必要もない。大切なのは、遅れてやって来る効果を待つことだ」と。いま読んだものが十年後に分かることがある、二〇年後に違った意見が生まれることがある。その場で分からなくても、いずれ分かるときがやってくる、そのときを待てばいいのだと。僕自身、大学生のときに読んだ本で、いまようやく分かる本があります。だからあまり焦らずに、読むということが必要なのではないかと思います。

マクドナルドで長らく採用担当をしていた鴨頭嘉人さんの「振り子の法則」についてお話します。鴨頭さんは、「人と話すにはどうしたらいいか」ということを、いろいろな場面で教えているのですが、人とうまく話せるようになるためには、人の話を聞かなければならない。聞き上手＝話し上手であるといいます。

振り子は右と左に同じだけ振れるわけですが、振り子の片側に聞く力、もう片方に話す力があるとイメージしてください。聞く力が時計の針でいう二〇分のところまでしか振れない人は、四〇分のところまでしか話ができないよ、とそういうことです。

僕は、これは読書にも当てはまる法則だと思うんです。書くためには読まなければならない。この振り子の振れる距離が長ければ長いほど、読めるし、書ける。どれだけ読めるかというのは量だけではなくて、どれだけ深く読んだかということです。そして右から左へのふり幅が、「考える」という行為にあたるのだと思います。

昨日、偶然会社に届いた『12歳からはじめよう学びのカタチ』という佐藤優さんの本をぱらぱら読んでいたら、インプットした情報の二割ぐらいしかアウトプットできない、と書いてありました。その法則からいうと、僕のいった振り子の法則はまだ甘くて、めいっぱい読んでもほんの少ししか書けない、というのが実際なのかもしれません。そういうことを認識しておいた方がいいのではないかと思います。読む、書く、この繰り返しの中で、やはり思考力はついてくる。

この振り子は、つまり自分です。最初は小さくしか振れないけれど、だんだん大きく振れるようになっていければ、その人の言葉の重みが増していくのではないでしょうか。

＊

ここからは、より具体的な話になりますが、あるテーマの本を読むときに、関連本を六冊読んでほしいんです。

本とはか弱いものだと思っているんですよ。たとえすごい名著でも、その一冊を読んだだけで満足してはいけない。関連書を読んでみる、するとここに必ずつながりが生まれるはずなんです。三冊読んだら、三角形のつながりができてくる。四冊読んだら四角形とさらに内部にクロスが生まれ、六冊読むとそこにかなりのネットワークができ上がります。こうなったときに単なる知識ではなく、何かに立ち向かっていけるような「知性」が生れてくる。

元東大総長の蓮實重彦さんが、『知性のために』という本の中で、こういっています。「真に貴重な体験は、結果ではなく、過程の中にしかない」。こうもいっています。「わたくしたちが強く惹きつけられるのは、それを導きだす過程に持続していただろう著者の好奇心の苛烈さにほかなりません」。別の箇所で蓮實さんは、「知性」について、こう定義しています。「知性は、ある対象を構成する要素のうちで何が可変的であり、何が不変的であるかを識別し、変化にふさわしい組み合わせを予測する力なのです」。

つまり、未知なるものと出会ったときに、それが変化するものなのか、不変のものなのか、それを判断して立ち向かうことが、真の知性なのだと。ある驚きに出会ったとき、それに感動し、そこから自分なりに思考することができ——ここで当然可変的なものと不変的なものへの判断が必要となります——そしてそれを人に伝えることができる、そういう過程を生きられる人のことを知性ある人というのではないかと思います。

そして、「知性」は、やはり「読み」「考え」「書く」ことを通してしか生まれて来ないのです。新しい出来事や局面に出会うことから鍛えられることは確実にあります。答えが分かっていることをいくら考えても進歩はない。それよりも答えのない問題を考えることによって鍛えられることがあります。

そういう問題は、すぐれた本の中にいくらでも見つけることができます。そうした問題を繰り返し考えることで、自分の思考回路を鍛えていく。そのことによって、大げさにいえば、いまの世の中をサバイブする能力が鍛えられる。そういっても過言ではない。

書く力を養う、一番元になるものが、僕は読書だと信じて、いまの仕事を四半世紀続けてきています。書く／考える／読むの関係は、回転させてもいいと思います。たとえば考える、ということを支えているのは、読むことと書くことなんです。つまり読んで、書かないと、自分の考えをまとめられない。ある意味では、読むことだって、考えることや書くことに支えられている。この三つは、どれが欠けてもいけないものなのではないか、そう思います。

（おわり）

おわりに

今年は誰にとっても特別な年になってしまいました。大学はオンライン授業を余儀なくされ、大学図書館も、ほとんど学生が立ち寄らない（寄れない）状況だときいています。春は読書人のある神保町でも、書店が閉店あるいは短縮営業で、街の「昏さ」を体感しました（逆に書店が開いたときに差し込んだ、一筋のひかり！）。


そんな中でも、「書評キャンパス」の取り組みは、

（学生）本を読んで、書いて、編集部に原稿を送って、

（編集部）本と書評を読んで、コメントを書いて送って、

（学生）第二稿を仕上げて、

（編集部）ゲラに組んで、新聞紙面に掲載……

と、地味だけれど、静かに熱を帯び、途切れることなく続きました。

思い通りにならないことばかりの中で、読んで書いて考えた一冊の本について、学生たちは、いつか遠い未来に思い返すことがあるでしょうか。

この一年も、書評キャンパスを通じて学生たちに教えてもらった、読むのが止まらない名作が多々ありました。その著者の新刊を読みたくて読んで、

やっぱり面白くて、「週刊読書人」本紙の特集企画として、対談やインタビューに発展することもありました。一冊の本から、あるいは一本の書評から、人とのつながりや世界の広がりが、私の周りでは確かに生まれていたのでした。二〇一九年の図書館総合展で、学生さんたちに直接話をきけたのも、うれしいことでした。たった一本の書評のやりとりで、そんなにたくさんのことを感じてくれたのか——とその感性の高さに驚きました。

書籍化にあたり、今回も多くの著者や編者、訳者、担当編集者の方々に、それぞれの書評へ、心のこもったコメントをいただきました。コロナ禍で人にも会いにくくなっていますが、本を介し言葉を交わす、うれしい無数の出会いがありました。ご協力いただいた皆様、本当にありがとうございました。

また日ごろからご協力を賜っている、大学図書館、公共図書館の皆さま、いつもありがとうございます。はやく大学と図書館が通常の状況になるように、そして学生たちが、いい本に出合っていけますように、と祈ります。

「週刊読書人」編集部　角南範子

書評キャンパス at 読書人 2019

2020 年 10 月 30 日　第 1 刷発行

著者　大学生と「週刊読書人」編集部
発行者　明石健五
発行所　株式会社 読書人
〒 101-0051
東京都千代田区神田神保町 1-3-5
冨山房ビル 6 階
Tel.03-5244-5975　Fax.03-5244-5976
https://dokushojin.com/

ブックデザイン _hitomi_

印刷・製本所　モリモト印刷株式会社

ISBN 978-4-924671-46-1